German *for* Business

Norman Paxton • *Anthony Whelan*

SECOND EDITION

Hodder & Stoughton

A MEMBER OF THE HODDER HEADLINE GROUP

First published 1986
Second edition 1992

Impression number 10 9 8 7 6 5 4 3 2
Year   1999 1998 1997 1996 1995 1994

Typeset by Litho Link Ltd, Welshpool, Powys.
Printed in Great Britain for Hodder & Stoughton Educational,
a division of Hodder Headline Plc,
338 Euston Road,
London NW1 3BH by The Bath Press, Avon.

Contents

Preface   iv

Acknowledgments   vii

Chapter
 1 *Im Flugzeug* adjective endings; quantification; prepositions   1
 2 *In Frankfurt* substantival adjectives; *werden* as auxiliary   7
 3 *Auf der Messe* infinitive with and without *zu*; ss and ß   13
 4 *Ferngespräche* comparison of adjectives   19
 5 *Die Einkaufsleiterin verhandelt mit Herrn Heller* position of *nicht*   27
 6 *Eine Fabrikbesichtigung* revision of the future tense   33
 7 *Flug nach Düsseldorf* order of adverbs; dative verbs; conditional perfect   40
 8 *Im Ruhrgebiet* perfect and imperfect; dative adjectives   46
 9 *Geschäftsbriefe* abbreviations   51
10 *Urlaubspläne* particles; conditional sentences   61
11 *München* reflexive verbs; tenses with *seit*   67
12 *Ein gemütliches Lokal* gender of nouns 1; relative pronouns   73
13 *Das kann mal vorkommen* gender of nouns 2.   80
14 *Die deutsche Wirtschaft* comparison of adverbs   85
15 *Was die Zukunft bringt* inseparable prefixes   90
16 *Bewerbungsschreiben* gender of nouns 3.; conditional clauses   96
17 *Im Reisebüro* the subjunctive   102
18 *Die Hellers haben Besuch* adjectival phrases   108
19 *Kooperationsgesuch* other parts of speech used as nouns   113

Background section
 1 *In diesem Winter hat nichts so richtig geklappt*   118
 2 *Zahlungen ins Ausland; teuer und langsam*   119
 3 *Der "Lehrling" ist wieder da . . .*   121
 4 *Die erstaunlichen Eigenschaften von Weihrauch und Myrrhe*   122
 5 *Bald Schluß mit dem taghellen Feierabend*   124
 6 *Menschen, die sich schnell und intensiv ärgern, sterben früher*   126
 7 *In Hamburg sollen wieder Straßenbahnen fahren*   127
 8 *Eisfreie Straßen mit weniger Feuchtsalz*   129
 9 *Was haben Kanada und die Schweiz gemeinsam?*   131

Assignment A   134
Assignment B   142
Assignment C   146
Assignment D   153

Vocabulary   158

Preface to the Second Edition

Since the first publication of this course in 1986 the background to German Studies has been transformed beyond recognition by political events, and a great deal of the basic information the book conveyed needed a complete change to bring it up to date. The aims of the course remain unchanged: it is intended for students with at least a higher level GCSE in German, who are either preparing for an examination such as an AO level German for Business Studies, or are attending a course in German at a Polytechnic, a College of Further Education or an Evening Institute, whether part-time or full-time. The course is self-contained, requiring no ancillary material, and aims to provide the student not only with a thorough command of the basic forms of language used for business communication in German but also with an adequate nucleus of information about German society and institutions today — and in this respect the new edition has undergone extensive rewriting. It claims no exhaustive coverage of grammar: while an elementary acquaintance with the commonest declensions and conjugations is assumed, the chief points concerning, for example, adjective endings and the use of tenses are fully presented for revision purposes and thoroughly drilled in the exercises, and in addition such grammatical features as arise in the course of a business-oriented series of texts are explained and practised.

The nineteen chapters are of even length and consistent layout (beginning with a short dialogue followed by eight varied exercises and ending with a grammar and 'useful expressions' section) with the exception of the chapters on business correspondence and the use of the telephone, which receive fuller treatment as befits their importance in any business syllabus. Factual information is given on various areas of Germany as well as on trade fairs, business dealings, travel, politics, economics and job applications and adverts. There are sample texts of news bulletins and weather forecasts, and the course is completed by a selection of background texts which provide a high level of overlap with the language content of the corresponding chapters as well as a considerable amount of additional information. All these texts are new to this edition, and they constitute a wide and representative sample of the German press in the last couple of years. They are suitable for private study, but offer a wide variety of other possible uses.

A number of Assignments are included as a new feature in this edition. They are designed not to produce specialist linguists but to prepare students for situations which they may meet frequently in a business context. We think that they are realistic and vocationally relevant, and that they will develop the student's confidence in dealing with common commercial situations. We would stress, however, that they are merely suggestions to the

teacher, who has an essential role in the preparation and briefing phase before each assignment. The teacher may or may not decide to impose a time-constraint on an assignment; or may wish to adapt or modify. Some teachers will use the assignments at intervals throughout the book, others will save them until the end of the course.

All the dialogues from the nineteen chapters will be found on the two cassettes which accompany the course, together with other material for reinforcing the learning process. Diligent study of the tapes should give the student much more confidence in the use of commercial and business German.

The new edition has benefited additionally from the considerable amount of helpful feedback we have been fortunate enough to receive from teachers and lecturers in all parts of the United Kingdom over the past five years, and numerous exercises have been replaced or modified as a result of this. We do not presume to offer detailed advice to teachers on the use of this course: FE students and teachers by whom the material was tested found it extremely adaptable in a great variety of ways. The vocabulary at the end of the book includes all words in Chapters 1–19 which are not among the 3,000 words most frequently occurring in modern German. We hope to have provided in the dialogues the authentic tone of spoken German while enabling the student, both by carefully constructed and varied exercises and by clear explanations and interesting background texts, to acquire a sound command of the language and a useful knowledge of the German-speaking countries.

Acknowledgments

It is a pleasure to record our indebtedness to the many sources of help we have been able to draw upon: firstly to the staff and students of Halesowen College, by whom our material was tested with evident enjoyment and appreciation; to Alfa-Laval Agrar GmbH and Salter Industrial Measurement Ltd for permission to reproduce an order form; to the staff of the Head Post Office in Lippstadt, who on one occasion actually did explain the telephone system as patiently as the character in the book; and to the Black Country Museum Trust Ltd, for copious and helpful material contributing to Assignment B. Thanks are also due to the staff of the Goethe Institut, Manchester, who were unfailingly helpful in supplying information and maps. Most of all we owe thanks to Herr Jens Meyer, temporarily of Manchester Grammar School, who checked all the material which is new to the second edition.

The authors and publishers would like to thank the following for permission to reproduce material in this volume: ALI Press Agency for cartoons on pp. 2, 10, 16, 28, 40, 51, 74, 86, 91, 97 and 109; *Frankfurter Rundschau* for background text 7; *Rheinische Post*, Düsseldorf for background texts 1 and 3; *Stern* for cartoons on pp. 8 and 34.

The authors and publishers would also like to acknowledge the following for use of their material: *Tages Anzeiger*, Zürich for background texts 2, 5 and 9; *Welt am Sonntag* for background texts 4, 6 and 8.

CHAPTER 1

Im Flugzeug

LANG	Ich sehe an Ihrer Mappe, daß Sie die Firma Brinkmann vertreten. Sie fliegen vermutlich zur Frankfurter Messe.
HELLER	Ja, und zwar zum ersten Mal. Eigentlich schlagen wir uns mit einem Problem herum. Während der letzten drei Jahre hat die Gemeinschaft der zwölf E-G Staaten zu einem einheitlichen Binnenmarkt zusammenwachsen sollen, doch sagen uns unsere Marktforscher, daß kaum jemand in der Bundesrepublik unser Unternehmen kennt. Die Sache ist ernst. Bei diesem Messebesuch versuchen wir, unsere Popularität zu steigern.
LANG	Richtig! Man muß doch ausstellen. Auf die Glaubwürdigkeit eines Unternehmens kommt es an. Es ist schon mein sechster Besuch. Darf ich mich vorstellen? Ich heiße Thomas Lang — bei der Firma Lamm.
HELLER	Freut mich sehr. Peter Heller ist mein Name.
LAUTSPRECHER	Guten Morgen, meine Damen und Herren. Im Namen des Kapitäns Decker und seiner Besatzung begrüßen wir Sie auf diesem Lufthansaflug nach Frankfurt. Unsere Flugzeit beträgt etwa anderthalb Stunden. Wir wünschen Ihnen einen angenehmen Flug.
LANG	Sind Sie schon lange bei Brinkmann?
HELLER	Seit acht Jahren — ich habe gleich nach dem Hochschulabschluß als Forschungsarbeiter angefangen und habe nachher dreieinhalb Jahre im Produktionssektor verbracht.

LAUTSPRECHER	Meine Damen und Herren, in einigen Minuten werden wir in Frankfurt landen. Wir bitten Sie, sich anzuschnallen, bis das Flugzeug zum Stillstand gekommen ist, und das Rauchen einzustellen, bis Sie im Flughafengebäude sind.
HELLER	Wie lange sind Sie denn schon bei Lamm?
LANG	Fast siebeneinhalb Jahre. Ich war früher bei Alexander und Marks, aber nur ungefähr eineinhalb Jahre — die Aufstiegschancen waren dort nicht so günstig.
HELLER	Genau! und ich habe sogar neulich gehört, daß A und M vielleicht bald pleite gehen.
LANG	Ach, man hört allerlei dummes Zeug darüber. So schlimm wird es wohl nicht sein. Diese Gerüchte stehen meines Erachtens in keinerlei Beziehung zur wirklichen finanziellen Lage der Firma.
LAUTSPRECHER	Meine Damen und Herren, wir sind soeben in Frankfurt gelandet.

Bitte, bleiben Sie auf Ihren Sitzplätzen, bis die Türen vorne und hinten geöffnet sind. Wir hoffen, Sie hatten einen angenehmen Flug, und freuen uns auf Ihren nächsten Flug mit uns.

HELLER   Nun, jetzt dürfen wir endlich aussteigen. In welchem Hotel sind Sie untergebracht?

LANG   Im 'Frankfurter Hof'. Und Sie?

HELLER   Ich auch! Sollen wir vielleicht ein Taxi teilen?

LANG   Aber gerne! Dann darf ich Sie ein bißchen mit der Stadt bekanntmachen.

„*Haben Sie auch eine Nicht-Redner-Abteilung?*"

NOTE: '*eine Messe*' is a Trade Fair. Frankfurt holds major ones for engineering products, textiles, books etc., and together with Hanover is the best known German '*Messestadt*'.

Ⓐ Answer in German

1. Woran sieht Herr Lang, daß Herr Heller die Firma Brinkmann vertritt?
2. Wohin fliegen die beiden Herren?
3. Was sagen Hellers Marktforscher?
4. Wie lange wird der Flug nach Frankfurt dauern?
5. Wer sind die Kunden von der Firma Lamm?
6. Kennt Herr Heller die Bundesrepublik sehr gut?
7. Um was wird vor der Landung von der Stewardess gebeten?
8. Warum hat Herr Lang die Firma A und M verlassen?
9. Welches Gerücht hat Herr Heller gehört?
10. Wie äußert sich Herr Lang darüber?
11. Wann dürfen die Fluggäste von ihren Sitzplätzen aufstehen?
12. Aus welchem Grund wollen die beiden Herren ein Taxi teilen?

Ⓑ Translate into German

1. I see you represent Siemens.
2. We are flying to the Frankfurt Fair.

3. May I introduce myself?
4. We welcome you on board this flight.
5. Our flight time will be approximately two hours.
6. It's the credibility of the company that matters.
7. It will be my first visit to the Federal Republic.
8. Please fasten your safety belts.
9. The promotion prospects were good.
10. M and F will soon go bust.
11. One hears all sorts of nonsense about that.
12. We are looking forward to your next visit.
13. Hardly anyone had heard of our company.

ⒸWord order – alternative possibilities for subordinate clauses

Example: Ich sehe, daß Sie die Firma Brinkmann vertreten.
        Ich sehe, Sie vertreten die Firma Brinkmann.

1. Ich glaube, daß es sein erster Besuch in der Bundesrepublik ist.
2. Wir hoffen, daß Sie einen angenehmen Flug gehabt haben.
3. Er sagt, daß die Kunden ihn nicht kennen.
4. Ich habe gehört, daß A und M pleite gehen werden.
5. Ich nehme an, daß Sie zur Frankfurter Messe fliegen.
6. Er behauptet, daß die Gerüchte keinen Grund haben.
7. Sie sagt, daß die Fluggäste sitzenbleiben sollen.
8. Ich sehe an Ihrer Mappe, daß Sie die Firma Brinkmann vertreten.

ⒹComplete with the appropriate adjectival endings

1. Nach mei— viert— Besuch war ich müde.
2. Er kam mit ei— lang— Liste.
3. Bei dies— Besuch versuchen wir unse— Popularität zu steigern.
4. Ei— angenehm— Flug freut mich immer.
5. Wie sind Sie in dies— finanziell— Lage geraten?
6. Ich war bei verschieden— Autofabrikanten.
7. Welch— Hotel gefällt Ihnen am besten?
8. Ih— nächst— Flug wird hoffentlich besser sein.
9. Ich freue mich auf mei— erst— Besuch.

ⒺPrepositions— replace the dash with the appropriate prepositional form

1. Ich sehe — Ihrer Teilnehmerliste, daß Sie C & A vertreten.
2. Wir liefern — verschiedene Firmen.
3. Er ist — zweiten Mal dort.
4. Das hat eine enge Beziehung — dieser Sache.

5. Er arbeitet seit fünf Jahren — Krupp.
6. Ich freue mich — meinen Geburtstag.
7. Es wird mein zweiter Besuch — Schweiz sein.
8. Bubi, bleib ruhig — deinem Sitzplatz.

F Rôle-playing

Play the rôle of Heller in the following dialogue: you are in a plane to Frankfurt when you get into conversation with a fellow businessman, who introduces himself as Mr Lang.

LANG	Darf ich fragen, was macht denn Ihre Firma?
HELLER	(*Your firm supplies machine tools to various motor manufacturers.*)
LANG	Dann sind Sie wohl schon öfters nach Frankfurt gekommen?
HELLER	(*No, this will be your first visit to Germany. You are looking forward to it very much.*)
LANG	Ach, Sie sind also erst seit kurzem bei der Firma angestellt?
HELLER	(*No, you began as a research assistant after graduation, and then you had four years on the production side.*)
LANG	Nun, ich mache die Pilgerfahrt zur Frankfurter Messe schon zum fünften Mal. Ich werde Ihnen vielleicht etwas von Frankfurt zeigen können.
HELLER	(*Well, one hears all sorts of rubbish about it. It probably can't be as bad as all that.*)
LANG	Was für Gerüchte haben Sie denn gehört?
HELLER	(*You have heard that it is a very unpleasant city.*)
LANG	Offen gesagt, ich finde Frankfurt nicht so gemütlich wie München oder Stuttgart, aber man hat dort das Gefühl, am Herzen des deutschen kommerziellen Lebens zu sein.
HELLER	(*Ask which hotel he is staying in.*)
LANG	Im 'Hessischen Kreuz', etwa hundert Meter von der Zeil. Und Sie?
HELLER	(*You are staying in the 'Frankfurter Hof'. Ask him what the Zeil is.*)
LANG	Die Zeil ist doch die Hauptgeschäftsstraße; wäre es nicht eine gute Idee, wenn wir zusammen in diesem Viertel einen Bummel machten?
HELLER	(*Thank him and say you would like to very much.*)
LANG	Ach, ich habe diese Ansage nicht verstanden. Was hat sie gesagt?
HELLER	(*She said we would be landing in Frankfurt in a few minutes.*)
LANG	So, dann muß ich schnell meine Papiere in Ordnung bringen. Wir sprechen uns später, ja?

G Guided conversation

With the help of the following information record or write a summary of the dialogue.

Herr Lang bemerkt, daß Herr Heller eine ihm bekannte Firma vertritt. (Wieso? Wohin fliegt er vielleicht?) Er stellt sich vor und nennt auch seine Firma. Die Stewardess begrüßt die Fluggäste. (Welche Information gibt sie?) Die beiden Herren erwähnen ihre verschiedenen Produkte und Kunden. Herr Heller beschreibt seine bisherige Laufbahn und fragt Herrn Lang gleichfalls. Die Stewardess kündigt die Landung an. (Um was bittet sie dabei?) Die beiden Herren werden zusammen weiterfahren. (Wieso? Warum?)

GRAMMAR *Revision of adjectival endings*
Definite and indefinite quantification
Prepositional uses

The endings on adjectives following the definite article are known as the weak declension, and are also used after *dieser, jener, welcher* and *jeder*, as follows:

● Singular

NOMINATIVE	der neuE	Lehrer	die neuE	Universität	das neuE	Muster
ACCUSATIVE	den neuEN	Lehrer	die neuE	Universität	das neuE	Muster
GENITIVE	des neuEN	Lehrers	der neuEN	Universität	des neuEN	Musters
DATIVE	dem neuEN	Lehrer	der neuEN	Universität	dem neuEN	Muster

● Plural

NOMINATIVE	die neuEN	Lehrer	die neuEN	Universitäten	die neuEN	Muster
ACCUSATIVE	die neuEN	Lehrer	die neuEN	Universitäten	die neuEN	Muster
GENITIVE	der neuEN	Lehrer	der neuEN	Universitäten	der neuEN	Muster
DATIVE	den neuEN	Lehrern	den neuEN	Universitäten	den neuEN	Mustern

After '*kein*' and all possessive adjectives ('*mein*', '*unser*', etc.) the endings are known as the mixed declension, because in the pural they are the same as the weak ones above, while in the singular they are the same as those used after '*ein*', which are as follows:

NOMINATIVE	ein neuER	Lehrer	eine neuE	Universität	ein neuES	Muster
ACCUSATIVE	einen neuEN	Lehrer	eine neuE	Universität	ein neuES	Muster
GENITIVE	eines neuEN	Lehrers	einer neuEN	Universität	eines neuEN	Musters
DATIVE	einem neuEN	Lehrer	einer neuEN	Universität	einem neuEN	Muster

The endings on adjectives standing alone before nouns are known as the strong declension, and are as follows:

MASCULINE SINGULAR	FEMININE SINGULAR	NEUTER SINGULAR	PLURAL (ALL GENDERS)
schwarzER Kaffee	warmE Suppe	kaltES Wasser	schönE Blumen
schwarzEN Kaffee	warmE Suppe	kaltES Wasser	schönE Blumen
schwarzEN Kaffees	warmER Suppe	kaltEN Wassers	schönER Blumen
schwarzEM Kaffee	warmER Suppe	kaltEM Wasser	schönEN Blumen

1. One and a half, two and a half, etc.

> Die Flugzeit beträgt anderthalb Stunden.
> Ich habe dreieinhalb Jahre im Produktionssektor verbracht.
> nur eineinhalb Jahre

Though 'anderthalb' is commoner, both 'eineinhalb' and 'einundeinhalb' are used, likewise 'dreiundeinhalb' etc.

2. Approximately, about — etwa, ungefähr

> Unsere Flugzeit beträgt etwa anderthalb Stunden.
> nur ungefähr eineinhalb Jahre

Note also 'circa', also spelt 'zirka', commoner in its abbreviated form 'ca'.

3. Prepositional uses which do not equate with English ones should be noted:

I see from your briefcase	*Ich sehe an Ihrer Mappe*
We deliver to various car manufacturers	*Wir liefern an verschiedene Autofabrikanten*
for the first time	*zum ersten Mal*
no connection with	*keine Beziehung zu*
I am with Alexander and Marks	*Ich bin bei Alexander und Marks*
We look forward to your visit	*Wir freuen uns auf Ihren Besuch*
The first visit to the Federal Republic	*Der erste Besuch in der Bundesrepublik*
Please remain in your seats	*Bitte, bleiben Sie auf Ihren Sitzplätzen*

USEFUL EXPRESSIONS

vertreten	to represent, be the representative of. Note also *stellvertretend*: deputy. *Der stellvertretende Vorsitzende*: deputy chairman. *Der Haupvertreter*: chief representative. *24 Länder waren vertreten*: 24 countries were represented.
betragen	to amount to, come to. Note also one of the commonest words in business terminology — *der Betrag*: the amount, sum of money, amount due. Do not confuse it with *der Beitrag*: the contribution, subscription.
pleite gehen	is a rather colloquial expression for 'going bankrupt', and while constantly occurring in journalism would scarcely be found in literary German.
sicht mit einem Problem herumschlagen	to wrestle with a problem.

CHAPTER 2

In Frankfurt

LANG   So, wir haben jetzt das Wichtigste gesehen: die Altstadt und die Zeil.

HELLER   Ja, Alt Sachsenhausen hat mir sehr gefallen, besonders das Goethehaus, und diese Fußgängerzone ist ja etwas Einmaliges, aber ich glaube, das Wichtigste für mich wird wohl das Messegelände sein.

LANG   Wir gehen jetzt dahin. Tatsächlich hat jede deutsche Großstadt solche Fußgängerzonen, aber was das Messegelände betrifft, haben Sie recht — Frankfurt ist vor allen Dingen eine Messestadt.

HELLER   Zum Messegelände können wir also zu Fuß gehen?

LANG   Aber sicher! Das ist eben ein großer Vorteil von Frankfurt. In anderen Städten liegt das Messegelände oft am Rande der Stadt, aber hier in Frankfurt ist es ziemlich in der Stadtmitte — vielleicht gibt es deshalb so viele Messen in Frankfurt, wie die Buchmesse und Interstoff: insgesamt mehr als zehn im Jahr.

HELLER   Nun, was geht dort eigentlich vor? Ich nehme an, daß ich im großen und ganzen mit den Kunden zu tun habe, die schon auf meiner Liste stehen — sie werden mich aufsuchen und hoffentlich Bestellungen machen.

LANG   Ja, sicherlich, aber wichtig ist auch, die Konkurrenz ein bißchen anzusehen. Sie werden erstaunt sein, daß es überhaupt so viele Firmen gibt. Alles mögliche wird vertreten, und es lohnt sich, das Neue zu notieren, wenn man auf dem laufenden bleiben will.

HELLER   Wie ist es gekommen, daß diese Messe gerade in Frankfurt stattfindet?

LANG   Ja, das ist immer so gewesen. Schon im Mittelalter gab es eine Frankfurter Messe, und Frankfurt war eine Art Hauptstadt des Heiligen Römischen Reiches Deutscher Nation: der Kaiser wurde nämlich hier gekrönt.

HELLER   Und Frankfurt ist immer noch das deutsche Finanzzentrum? Und morgen geht's los! Ich freue mich riesig darauf!

LANG   Also, früh ins Bett! Morgen um acht Uhr müssen wir bereits an Ort und Stelle sein. Das Frankfurter Nachtleben kann ich sowieso nicht empfehlen.

NOTE: '*das Goethehaus*' refers to the birthplace of Johann Wolfgang von Goethe (1749–1832), generally accounted the greatest of all German writers. He spent most of his life in Weimar, where there is a much finer Goethehaus in which he lived and died.

'*das Heilige Römische Reich Deutscher Nation*' — the name adopted by the Emperor

7

»Ja, ich hätte gern etwas zu lesen! Haben Sie zufällig
Kants ›Kritik der reinen Vernunft‹ da?«

Maximilian I in 1493 for what was formerly the Holy Roman Empire founded by
Charlemagne. It ceased to exist in 1806.

Ⓐ Answer in German

1. Was hält Herr Lang für das Wichtigste in Frankfurt?
2. Welches berühmte Haus befindet sich in Alt Sachsenhausen?
3. Wohin gehen die beiden Herren jetzt?
4. Wo liegt das Messegelände?
5. Wie viele Messen finden in einem Jahr in Frankfurt statt?
6. Mit wem hat Herr Heller zu tun?
7. Warum sollte man das Neue notieren?
8. Von welchem Reich wurde der Kaiser in Frankfurt gekrönt?
9. Worauf freut sich Herr Heller?
10. Um wieviel Uhr fängt die Arbeit an?

Ⓑ Translate into German

1. Here is the most important thing.
2. I liked Goethe's house very much.

genau = gewöhnlich
to do = tun
to try = versuchen

3. This pedestrian precinct is something unique.
4. So far as the trade fair site is concerned, you're right. *Was das Messegelände betrifft, haben sie recht!*
5. There are ten a year altogether.
6. In general I don't have much to do.
7. I shall try everything possible. *Ich werde alles Mögliche versuchen.*
8. One must keep up to date.
9. The Book Fair takes place in Frankfurt. *Die Buchmesse*
10. There was a Frankfurt Fair in the middle ages.
11. The Emperor of the Holy Roman Empire was crowned in Frankfurt.
12. What goes on there actually? *Was ist los? eigentlich*

ⓒ Tenses— rewrite the following sentences in the tense indicated

1. Frankfurt ist vor allen Dingen eine Messestadt. (Imperfect)
2. Alt Sachsenhausen hat mir sehr gefallen. (Present)
3. Wir haben das Wichtigste gesehen. (Future)
4. Sie werden mich aufsuchen. (Perfect)
5. Das Wichtigste für mich wird wohl das Messegelände sein. (Imperfect)
6. Zum Messegelände können wir also zu Fuß gehen. (Future)
7. Es lohnt sich, das Neue zu notieren. (Perfect) *Es hat sich gelohnt, ...*
8. Frankfurt war eine Art Hauptstadt. (Present) *Frankfurt wird ... sein.*
9. Im Mittelalter gab es eine Frankfurter Messe. (Perfect)
10. Das ist immer so gewesen. (Imperfect)
11. Frankfurt ist immer noch das deutsche Finanzzentrum. (Future)
12. Der Kaiser wurde nämlich hier gekrönt. (Perfect) *ist hier gekrönt worden*

ⓓ Prepositions — replace the dash with the appropriate prepositional form

1. Um zehn Uhr mußt du *ins* Bett.
2. Viele Namen stehen *auf* meiner Liste.
3. Es ist nicht weit: wir können *zu* Fuß gehen.
4. Er stellt die Sachen wieder *an* Ort und Stelle.
5. Der Wald liegt *am* Rande der Stadt.
6. Der Hauptbahnhof ist *in* der Stadtmitte.
7. *Vor* mir war niemand da.
8. Interlaken ist *vor* allen Dingen ein Ferienort.

ⓔ Substantival adjectives

Example: Was möchtest du essen? (something sweet)
Ich möchte etwas Süßes essen.

1. Was wurde probiert?   (everything possible)
2. Was hast du gefunden?   (nothing interesting)

3. Was sagt man von ihm? (many good things) *viel Gutes*
4. Was muß man erkennen? (the important thing) *Das Wichtiges*
5. Was werden wir sehen? (something new) *Etwas Neues*
6. Was gibt es zu sehen? (nothing special) *Nichts Speciales*

Ⓖ Rôle-playing

Play the rôle of the English guest in the following dialogue: you have just returned from a sightseeing coach tour of Frankfurt, and your hostess asks you about it . . .

FRAU BECK — Also, wie hat Ihnen die Stadtrundfahrt gefallen?
(*You liked it very much, especially the old town.*)

FRAU BECK — Und haben Sie auch das Einkaufsviertel um die Hauptwache besucht?
(*Unfortunately not, the bus only drove past the Hauptwache.*)

FRAU BECK — Ach natürlich, da ist alles Fußgängerzone drum herum. Aber in der Altstadt haben Sie wohl das Goethehaus besichtigt?
(*Yes of course, and the Römer too, and finally the Palm Garden.*)

FRAU BECK — Und was sonst haben Sie im Vorbeifahren bemerkt?
(*You saw the cathedral, the Main, the old bridge, the old opera house, the university, the trade fair site and the central station.*)

FRAU BECK — Schade, daß Sie nicht zur Messezeit hier sind — dann ist alles viel lebhafter. Aber es lohnt sich vielleicht, Frankfurt in normalen Verhältnissen kennenzulernen. Was für einen Eindruck haben Sie von der Stadt?
(*All in all, you like it very much, but the new buildings are nothing special: Alt Sachsenhausen is the most beautiful thing that Frankfurt possesses.*)

„Es ist doch gar nicht wahr, daß ich ausschließlich ans Geschäft denke. Ich liebe dich. Ich verehre dich. Ich bete dich an. Würdest du das bitte noch einmal wiederholen?"

FRAU BECK	Ja sicher, aber das Messegelände ist auch etwas Einmaliges, ich meine zur Zeit der großen Messe. Und die Restaurierung des Römers ist sehr sorgfältig durchgeführt worden, finden Sie nicht?
	(Yes, indeed, everything looks as in the middle ages.)
FRAU BECK	Im Römer haben Sie wohl den Kaisersaal besichtigt?
	(Yes, you were told that that was where the emperors were crowned.)
FRAU BECK	Sehen Sie, Frankfurt ist in der deutschen Geschichte immer wichtig gewesen, und heute noch ist es die kommerzielle Hauptstadt Deutschlands. Ich möchte nirgendwo anders wohnen.
	(You are looking forward to getting to know the town better.)

ⓗ Guided conversation

With the help of the following information record or write a summary of the dialogue:

Herr Lang schlägt vor, sie sollen zusammen nur die wichtigsten Sehenswürdigkeiten ansehen, und nennt einige davon. (Welche?) Herr Heller möchte vor allen Dingen das Messegelände besuchen und fragt, wie weit entfernt es sei. (Wie gelangt man zum Messegelände?) Herr Lang erklärt, man könne dorthin zu Fuß gehen, und meint, die Lage in Frankfurt sei günstiger als in anderen Städten. (Warum?) Herr Heller möchte Näheres über die Messe erfahren. (Wie stellt er sie sich vor?) Herr Lang betont die Gelegenheit, dabei die Konkurrenz anzusehen, (woraus besteht diese?) und sagt, daß man früh und pünktlich bei der Arbeit sein muß (Um wieviel Uhr?).

GRAMMAR *Substantive adjectives*
'Werden' as auxiliary

1. Adjectives used as nouns are normally written with a capital letter, e.g. *das Neue, das Wichtigste*. This includes the neuter adjectives after *alles, allerlei, etwas, genug, nichts, viel* and *wenig*, e.g. *etwas Einmaliges, alles Mögliche, nichts Besonderes*. Note, however, a difference between the normal *alles Mögliche* (everything possible) and the set phrase *alles mögliche* (all sorts of things). Other set phrases where small letters are used include *im großen und ganzen, auf dem laufenden, bei weitem, im allgemeinen*. Note also that *alles*, being inflected, is followed by weak endings on the adjective, whereas indeclinable words like *nichts* are followed by strong endings.

2. Care must be exercised with *werden*, which as an auxiliary is used
    (a) in the present to form the future tense with an infinitive:
        Sie *werden* mich aufsuchen.
        Das Wichtigste für mich *wird* wohl das Messegelände sein.
    (b) in the imperfect subjunctive to form the conditional tense with an infinitive:
        An deiner Stelle *würde* ich es so machen.
    (c) in the present to form the present passive tense with a past participle:
        Alles mögliche *wird* vertreten.
        Der Kaiser *wird* gekrönt.
    (d) in the imperfect to form the simple past passive tense with a past participle:
        Alles mögliche *wurde* vertreten.
        Der Kaiser *wurde* gekrönt.

USEFUL EXPRESSIONS

besonders   especially. Note also *insbesondere*: in particular; *nichts Besonderes*: nothing special; *die Besonderheit*: peculiarity, special feature; *Es ist mir eine besondere Ehre*: It is a particular honour for me.

insgesamt   altogether. Note also *die gesamten Kosten*: the total cost (s); *Goethes Sämtliche Werke*: Goethe's Complete Works, cf. *Gesammelte Werke*: Collected Works.

stattfinden   to take place (a separable verb). The prefix *statt* meaning 'place' is as in the prepositions *statt* and *anstatt*, both meaning 'instead of', i.e. 'in place of', and governing the genitive case — *Statt eines Briefes schrieb er nur eine Karte*.

CHAPTER 3

Auf der Messe

HELLER
Es hat mich sehr gefreut, Herr Zehnpfennig, Ihre Bekanntschaft zu machen. Hoffentlich können wir im Laufe des kommenden Monats einen festen Auftrag abschließen.

ZEHNPFENNIG
Das wohl: Ihre Muster scheinen mir unseren Bedürfnissen zu entsprechen, aber ich würde vorschlagen, daß Sie unsere Fabrik persönlich besuchen, um zu sehen, wie Ihre Werkzeugmaschinen installiert werden können.

HELLER
Aber selbstverständlich: ich stehe Ihnen zur Verfügung und bin gerne bereit, nach Stuttgart zu kommen.

ZEHNPFENNIG
Wie wäre es, wenn Sie in der nächsten Woche zu uns kämen?

HELLER
Kein Problem: ich würde vermutlich am besten fliegen, oder?

ZEHNPFENNIG
Nein, unsere Fabrik liegt nämlich neben dem Bahnhof, und die Züge sind schnell und ganz zuverlässig. Die Entfernung beträgt nur hundertachtzig Kilometer. Am besten fahren Sie also mit der Eisenbahn. Ich habe sogar einen Fahrplan in der Tasche — sehen Sie hier!

Gültig vom 3. Juni bis 29. September 1984

Frankfurt (M)—Stuttgart ● 207 km

Zug-Nr.	Abfahrt Ffm Hbf	Ankunft Stuttgart Hbf	Service im Zug	Besonderheiten
D 1417	0.09	2.34		nur Sa vom 30. VI.–1. IX.
7101	0.18	5.27	Ⴓ	Ⴑ Darmstadt Hbf an 0.48, ab 2.55 (D 711) Ⴑ Darmstadt–Stuttgart
D 473	4.30	7.46		Ⴑ Mannheim an 5.24, ab 6.04 (E 3023) nur werktags, nicht 21. VI.
IC 571	6.33	8.51	⊗ ✕	Ⴑ Mannheim an 7.21, ab 7.27 (IC 595) nur Mo–Sa, nicht 11. VI. ✕ Ffm–Mannheim, ✕ Mannheim–Stuttgart
D 899	6.41	8.51	✕	Ⴑ Heidelberg an 7.35, ab 7.41 (IC 595) nur sonn- und feiertags ✕ Heidelberg–Stuttgart
D 899	6.41	9.36		
IC 673	7.37	9.51	✕	Ⴑ Mannheim an 8.21, ab 8.27 (IC 511)
D 795	7.52	10.17	Ⴓ	
E 2353	8.16	11.44		Zuglauf über Hanau–Eberbach
IC 597	8.37	10.51	✕	
D 813	9.16	11.27	Ⴓ	
IC 171	9.37	11.51	✕	Ⴑ Mannheim an 10.21, ab 10.27 (IC 513) nur Mo–Sa, nicht 11. VI.
D 799	9.40	12.06	Ⴓ	
E 3039	9.48	12.40	⊗	Ⴑ Mannheim an 10.59, ab 11.12 (FD 713) ✕ Mannheim–Stuttgart
E 3377	10.25	13.46		
IC 573	10.37	12.51	⊗ ✕	Ⴑ Mannheim an 11.21, ab 11.27 (IC 111) nur Mo–Sa, nicht 11. VI. ✕ Ffm–Mannheim, ✕ Mannheim–Stuttgart
IC 599	11.37	13.51	✕	nur Mo–Sa, nicht 11. VI.
D 911	11.40	14.11		
IC 173	12.37	14.51	✕	Ⴑ Mannheim an 13.21, ab 13.27 (IC 515)
E 2355	12.40	16.17		Zuglauf über Hanau–Eberbach
D 913	12.40	15.19	Ⴓ	Ⴑ Heidelberg an 13.36, ab 14.02 (D 715) Ⴑ Heidelberg–Stuttgart
D 791	13.00	15.47	Ⴓ	
D 771	13.31	16.25	Ⴓ	Ⴑ Karlsruhe an 14.53, ab 15.12 (E 3013) Ⴑ Ffm–Karlsruhe
IC 675	13.37	15.51	✕	Ⴑ Mannheim an 14.21, ab 14.27 (IC 517)
D 773	14.34	17.42	Ⴓ	Ⴑ Karlsruhe an 16.19, ab 16.32 (D 2063) Ⴑ Ffm–Karlsruhe
IC 177	14.37	16.51	✕	Ⴑ Mannheim an 15.21, ab 15.27 (IC 613)
D 851	14.40	16.46		nur freitags, nicht 22. VI., auch 20. VI.
IC 575	15.37	17.51	✕	Ⴑ Mannheim an 16.21, ab 16.27 (IC 611)

Zug-Nr.	Abfahrt Ffm Hbf	Ankunft Stuttgart Hbf	Service im Zug	Besonderheiten
E 3151	15.40	18.40		Ⴑ Karlsruhe-Durlach an 17.19, ab 17.33 (E 3015)
IC 577	16.37	18.51	✕	Ⴑ Mannheim an 17.21, ab 17.27 (IC 519) täglich außer samstags, nicht 10. VI.
D 815	16.40	19.07	Ⴓ	
E 2357	16.40	20.05		Zuglauf über Hanau–Eberbach
D 1173	16.52	20.23	Ⴓ	Ⴑ Karlsruhe an 18.36, ab 19.17 (D 267) Ⴑ Ffm–Mannheim/Karlsruhe–Stuttgart
D 797	17.29	19.44		
IC 179	17.37	19.51	✕	Ⴑ Mannheim an 18.21, ab 18.27 (IC 615)
D 1791	18.34	20.43		nur freitags
IC 691	18.37	20.51	✕	
E 3161	18.40	21.43		Ⴑ Karlsruhe-Durlach an 20.23, ab 20.31 (E 2751)
IC 579	19.37	21.51	✕	Ⴑ Mannheim an 20.21, ab 20.27 (IC 617)
E 2359	19.40	22.11	Ⴓ	Ⴑ Heidelberg an 20.35, ab 20.49 (D 719) Ⴑ Heidelberg–Stuttgart
E 2359	19.40	22.58		
IC 671	20.37	22.51	✕	Ⴑ Mannheim an 21.21, ab 21.27 (IC 619) täglich außer samstags, nicht 10. VI.
D 354	20.40	23.48	Ⴓ	Ⴑ Mannheim an 21.41, ab 21.57 (D 205) Ⴑ Karlsruhe an 22.30, ab 22.36 (D 14165) Ⴑ Ffm–Mannheim
IC 693	21.38	23.57	✕	
E 3167	23.45	2.53	⎚	⎚ Ffm–Heidelberg (D 897)–Stuttgart (–München)

Fahrpreise in DM: (Tarifstand: 1. 6. 84)	einfache Fahrt		Hin- und Rückfahrt	
	2. Klasse	1. Klasse	2. Klasse	1. Klasse
	39,00	59,00	78,00	118,00
Zuschläge für IC-Züge:	5,00	5,00		

Bitte beachten Sie auch unsere Sonderangebote

Zeichenerklärung

⎚ = 1. Klasse, bes. Zuschlag	✕ = Zugrestaurant
IC = 1. u. 2. Klasse, bes. Zuschlag	⊗ = Quick-Pick-Zugrestaurant
FD = 1. u. 2. Klasse	Ⴓ = Speisen u. Getränke im Zug erhältlich
D = 1. u. 2. Klasse	⊨ = Schlafwagen
E = 1. u. 2. Klasse	⊢ = Liegewagen
S = S-Bahn, 1. u. 2. Klasse, Abfahrt Ffm Hbf tief	Ⴑ = reservierungspflichtig
⎚ = Kurswagen	Ⴑ = umsteigen / change
⎚ = Omnibus	

Ohne Gewähr

Herausgeber: Deutsche Bundesbahn
Fahrkartenausgabe Frankfurt (M) Hbf

Fortsetzung siehe nächste Seite

HELLER   Prima! Also mit dem D-Zug braucht man nur anderthalb Stunden. Soll ich Dienstag etwa um halb zehn in Stuttgart ankommen, geht das?

ZEHNPFENNIG   Besser wär's, vorher anzurufen. Die Fabrik können Sie vom Haupteingang des Bahnhofs sehen. Fragen Sie bitte am Fabrikeingang nach Frau Schultze. Sie ist unsere Einkaufsleiterin und wird sich um Sie kümmern.

HELLER   Also, dann bis Dienstag. Verzeihen Sie bitte, wenn ich jetzt unser Gespräch abbreche: ich muß mich auf eine Konferenz für morgen vorbereiten und auch Vereinbarungen für einen Besuch nächste Woche im Ruhrgebiet treffen.

ZEHNPFENNIG   Ja, ich muß jetzt auch woanders hin. Auf Wiedersehen, und viel Spaß!

NOTE: A *Personenzug* is a slow train stopping at virtually every station. An *Eilzug* is somewhat quicker and stops at selected stations. A *D-Zug* (*Durchgangszug*) is an express corridor train stopping only at major cities (and nowadays often called *Inter-City*), and to travel by it one has to pay a supplement (*Zuschlag*) above the basic fare. The train is said to be '*zuschlagpflichtig*'.

Ⓐ Answer in German

1. Was hofft Herr Heller im kommenden Monat zu tun?
2. Wie findet Herr Zehnpfennig die Muster von Herrn Heller?
3. Warum schlägt Herr Zehnpfennig vor, daß Herr Heller die Fabrik besuchen sollte?
4. Will Herr Heller gerne nach Stuttgart fahren?
5. Welchen Tag schlägt Herr Heller für den Besuch vor?
6. Aus welchen Gründen ist es praktisch, mit dem Zug zu fahren?
7. Was hat Herr Zehnpfennig in der Tasche?
8. Wie weit ist es von Frankfurt nach Stuttgart?
9. Wer wird sich in der Fabrik um Herrn Heller kümmern?
10. Was muß Herr Heller jetzt machen?

Ⓑ Translate into German

1. I was pleased to meet him.
2. Your samples seem to meet our requirements.
3. I am at your disposal.
4. How about coming to us next week?
5. The distance is only 180 kilometres.
6. It only takes an hour and a half.
7. I must prepare for a meeting tomorrow.
8. Enjoy yourself!

C Infinitive with or without 'zu'?

nachteil = disadv.

1. Es freut mich sehr, Ihre Bekanntschaft (machen). *zu*
2. Ich besuche die Fabrik, um einen Freund (sehen). *zu*
3. Wir können jetzt einen festen Auftrag (abschließen). ✗
4. Soll ich um halb zehn (ankommen)? ✗
5. Die Muster scheinen unseren Bedürfnissen (entsprechen). *zu*
6. Ich muß mich auf eine Konferenz (vorbereiten). ✗
7. Ich bin bereit, nach Stuttgart (fahren). *zu*
8. Die Fabrik kann man vom Bahnhof (sehen). ✗
9. Darf ich mit Herrn Zehnpfennig (sprechen)? ✗
10. Er braucht morgen nicht nach Düsseldorf (fliegen). *zu*
11. Sie möchte lieber nächste Woche (kommen). ✗
12. Es ist zu früh, nach Hause (gehen). *zu*

nach verb not one in brackets

D ss or ß?

1. gro*ß* 2. Fu*ß* 3. mü*ss*en 4. Ki*ss*en 5. bi*ß*chen 6. gege*ss*en 7. Wa*ss*er 8. gewi*ß*
9. gebi*ss*en 10. Geno*ss*e 11. schie*ß*en 12. gewi*ss*erma*ß*en

E Answer in German with the help of the hints given in brackets

Example: Ist Herr Heller nach Stuttgart geflogen? (Nein, mit dem Zug fahren)
Nein, er ist mit dem Zug nach Stuttgart gefahren.

1. Hat Herr Zehnpfennig Herrn Heller nach Stuttgart eingeladen? (Ja)
2. Hat Herr Heller einen festen Auftrag beschlossen? (noch nicht)
3. Hat Herr Heller in Frankfurt eine Stadtrundfahrt gemacht? (Ja)
4. Ist Herr Heller gestern in Frankfurt angekommen? (Ja)
5. Hat sich Herr Heller auf eine Konferenz für den Nachmittag vorbereitet? (Nein, für den folgenden Tag)
6. Hat Herr Zehnpfennig gesagt, die Züge seien zuverlässig? (Ja)

F Translate into German

1. Have you come by train? *Sind sie mit dem Zug gekommen?*
2. Precisely! That's just what I wanted to say. *Genau! Das ist was ich sagen wollte*
3. Would you recommend it? *Können Sie das empfehlen?*
4. In the course of the month I shall write fifty letters. *Im Laufe des Monats werde Auftragsbrief schreibe*
5. She will look after us. *Sie wird sich um uns kümmern*
6. Now we have a firm contract. *Jetzt haben wir ein festen Auftrag abgeschlossen*
7. It is a great advantage if one can speak German. *Es ist ein großse vorteil wenn man Deutsch sprechen kann*
8. He must be somewhere else. *Er muss irgendwo anders sein*
9. It is worth while to visit the factory. *Es lohnt sich die Fabrik zu besuche*
10. The main entrance is around the corner. *Der Haupteingang ist um die Ecke*

Ⓖ Rôle-playing

Play in the following dialogue the part of Mr Heller, who is describing his day to Mr Lang.

LANG   Nun, wie war denn Ihr Tag? Sehr beschäftigt?

HELLER   *(Tell him you were pleased to meet your customers for the first time.)*

LANG   Und haben Sie etwas Erfolg gehabt? Irgendwelche Aufträge abgeschlossen?

HELLER   *(You hope soon to have a firm contract with Herr Zehnpfennig of EKW.)*

LANG   So, vom großen Betrieb in Stuttgart? Das wäre sehr nützlich, nicht wahr?

HELLER   *(Yes indeed, and Herr Zehnpfennig has invited you to visit the factory next week.)*

LANG   Also, mein Auto steht Ihnen zur Verfügung, wenn Sie wollen.

HELLER   *(You're going by train, since Herr Zehnpfennig suggested that, but thank him. You didn't know he had a car here.)*

LANG   Das habe ich gestern für zwei Wochen gemietet: es ist ganz einfach. Das sollten Sie mal probieren.

HELLER   *(Perhaps you will hire a car in the Ruhrgebiet next week.)*

LANG   Ach, Sie haben also noch eine Einladung erhalten?

HELLER   *(Yes, you are flying to Düsseldorf next Thursday.)*

LANG   Na, Sie machen schon Fortschritte, junger Mann. Sind Sie denn mit Ihrem ersten Messetag zufrieden?

HELLER   *(By and large you are very content, and looking forward immensely to the coming week and a half.)*

LANG   Wenn es Ihnen recht ist, können wir zusammen das Abendessen einnehmen: dann kann ich Ihnen Näheres über das Ruhrgebiet mitteilen.

HELLER   *(You would be very pleased to, and are already grateful to him for all his kindness so far.)*

„Meine Herren, es ist nur ein Vorschlag. Aber denken Sie daran, von wem er kommt."

ⓗ Guided conversation

With the help of the following information record or write a summary of the dialogue:

Herr Heller freut sich über die neue Bekanntschaft und hofft, in Kürze (Wann?) ein Geschäft mit Herrn Zehnpfennig zu machen (Was denn?) Herr Zehnpfennig scheint ebenfalls zufrieden (womit?) und lädt Herrn Heller zu einem Besuch ein. (Wohin und wozu?) Am besten soll er mit dem Zug fahren. (Warum?) Der Fahrplan wird gezeigt. (Wieviele Züge fahren jeden Tag?) Herr Heller soll nach Frau Schultze fragen. (Wer ist sie? Was wird sie machen?) Jetzt muß sich Herr Heller schnell verabschieden. (Warum?)

ⓘ Translate into German

I see from your briefcase that you represent the Ford Motor Company. May I introduce myself? My name is Decker. I am flying to Frankfurt as well. I take it that like me you are going to the International Motor Show.

No, this is not my first visit. Over the years I have got to know Frankfurt quite well — it is a fine town. I particularly enjoy an evening out in Alt Sachsenhausen, and a visit to the Goethe House is always interesting.

After the Motor Show I shall stay on in Germany and call on some of my customers. In the past I have found it very practical to travel by rail, because the towns I have to visit are all quite close to each other, and anyway, most of my customers have their premises in the town centre, near the railway station. As a matter of fact in Stuttgart one can see my best customer's factory from the main station.

GRAMMAR *Infinitive with and without 'zu' ss and ß*

1. After the modal auxiliaries *dürfen, können, mögen, müssen, sollen, wollen* and also *lassen*, no 'zu' is required before the infinitive, e.g. *wir dürfen gehen, wir können gehen* and so on, likewise *laßt uns gehen, er läßt es machen*. Most other verbs require 'zu' before the infinitive, e.g. *es lohnt sich, das Neue zu notieren; Ich bin gerne bereit, nach Stuttgart zu kommen.* Exceptions include *bleiben, helfen, hören, lehren, lernen, machen* and *sehen*, e.g. *er bleibt stehen; ich helfe ihr aufräumen; er lehrte mich schwimmen; ich lerne Klavier spielen; ich höre ihn kommen; er macht mich lachen; wir sehen ihn kommen.*

2. ß is used instead of ss
   (a) at the end of a word or syllable: daß, muß, Spaß, mißbrauchen, Eßzimmer
   (b) at the end of a word when followed by a consonant, usually 't': läßt, fließt, grüßt
   (c) between vowels when the first of these is long: Grüße, beschließen

ss is used between vowels when the first of these is short:
   zuverlässig, Bedürfnisse, Messe

USEFUL EXPRESSIONS

im Laufe (plus genitive)	in the course of, e.g. *im Laufe dieser Woche*; cf. in the previous chapter *auf dem laufenden* up-to-date, fully informed. Note also *laufend* = 'current' in business contexts, e.g. *ein laufendes Konto*; *die laufende Produktion*. Note also *die Laufbahn* — career, and *der Lebenslauf* — Curriculum Vitae.
zur Verfügung stehen	to be at the disposal of, be available. Note also *über etwas* or *jemanden verfügen* — to have something or someone at one's disposal.
vermutlich	presumably, cf. *ich vermute* — I suppose, close in meaning to *ich nehme an* — I assume (literally I take it).

CHAPTER 4

Ferngespräche

Heller is sitting in his hotel at breakfast. He speaks to the waiter.

HELLER   Ich muß meine Firma in England anrufen. Kann man von hier aus
          telefonieren?

KELLNER   Das läßt sich schon machen, doch die Telefoneinheit im Hotel kostet
          eine Mark, und es wird dann sehr teuer, ins Ausland zu telefonieren.
          Es ist billiger, wenn Sie auf dem Marktplatz (diesem Hotel gegenüber)
          telefonieren — da ist ein Münzfernsprecher. Doch auch hier treten
          Schwierigkeiten auf, da man fortwährend Geldstücke einwerfen muß.
          Übrigens, bei Münzfernsprechern wird der zuviel bezahlte Betrag
          nicht zurückgegeben. Sie gehen am besten zur Post, zur
          öffentlichen Fernsprechstelle. Sie gehen zum Schalter, melden sich
          an, dann können Sie in der Telefonzelle telefonieren, und am Schluß
          zahlen Sie am Schalter, wo Sie eine Quittung erhalten.

*Heller has gone to the post office, and is speaking to the official at the window marked
'Ferngespräche'.*

HELLER   Ich möchte meine Firma in England anrufen.

BEAMTER   Ist der in England verlangte Ort im Selbstwählferndienst zu
          erreichen?

HELLER   Ja, die Firma befindet sich in London.

BEAMTER   Gut. Sie können die Verbindung selbst wählen. Entschuldigung, aber
          man hört, daß Sie Ausländer sind. Haben Sie schon vorher die
          öffentliche Fernsprechstelle der Bundespost benutzt?

HELLER   Leider nicht.

BEAMTER   Macht nichts, est ist ganz einfach. Wählen Sie zunächst — Moment
          bitte, ich schreibe Ihnen alles auf. Zunächst wählt man 00 — das ist die
          Zugangsziffer zum internationalen Verkehr. Dann kommt die
          Landeskennzahl, also für England 44, und dann die nationale
          Ortsnetzkennzahl. Hier muß man aufpassen. Im internationalen
          Verkehr fällt die erste Null weg. Die Null ist nicht zu wählen. So,
          noch einmal: 00 44 dann 71 oder 81 und nicht 071 oder 081 für
          London, und dann die in London erwünschte Nummer. Alles klar?

HELLER   Alles klar. Nur noch eine Frage. Ich möchte auch eine Firma in

	Stuttgart anrufen. Die Nummer lautet 0711 2142 — 1. Wie ist es mit der Eins am Ende? Auf der Visitenkarte meines Kunden ist es anders. Sehen Sie mal, hier steht 0711 2142 — 256. Das versteh' ich nicht.
BEAMTER	Das heißt, diese Firma hat Durchwahl. Wenn Sie die letzte Eins wählen, erreichen Sie die Nebenstellenvermittlung.
HELLER	Die Nebenstellenvermittlung? Was ist denn das?
BEAMTER	Ach, wie soll man das erklären? Das ist die Vermittlung. Also, das Fräulein, — die Telefonistin der Firma.
HELLER	Ach so! Ich dachte, es hieße 'Zentrale' auf deutsch.
BEAMTER	Ganz richtig! Kann man auch sagen. So, wenn Sie die letzte Eins wählen, erreichen Sie die Zentrale. Aber wenn die Nebenstellennummer bekannt ist, so ist die Eins wegzulassen, und dafür anschließend die Nummer der Nebenstelle zu wählen. So, ich wiederhole. Wählen Sie 0711 2142 1, so erreichen Sie die Zentrale. Wählen Sie andererseits 0711 2142 256, so erreichen Sie unmittelbar die Nebenstelle. So, bitte, haben Sie das alles mitbekommen?
HELLER	Ja, das haben Sie ganz prima erklärt, Und wo kann ich jetzt telefonieren?
BEAMTER	Nehmen Sie bitte Kabine 2. Zahlen Sie nachher bei mir am Schalter.

(Heller is in the telephone booth. He has telephoned his boss in England and made his report. He then dials 0711 2142 256, but gets no answer; he then dials 0711 2142 1.)

FRÄULEIN	Hier Firma Zehnpfennig. Guten Morgen.
HELLER	Guten Morgen. Meine Name ist Heller, von der Firma Brinkmann-Werkzeugmaschinen. Ist Frau Schultze wohl im Hause?
FRÄULEIN	Nein, ich bedaure. Frau Schultze ist im Moment nicht da. Kann ich etwas ausrichten? Oder wollen Sie mit Herrn Zehnpfennig sprechen?
HELLER	Ich hätte lieber mit Frau Schultze gesprochen, aber Herrn Zehnpfennig kenne ich auch. Bitte, verbinden Sie mich.
STIMME	Hier Zehnpfennig.
HELLER	Guten Morgen, Herr Zehnpfennig, hier Peter Heller von der englischen Firma Brinkmann. Wir haben ganz kurz in Frankfurt gesprochen.
ZEHNPFENNIG	Jawohl. Ich erinnere mich gut. Wo sind Sie jetzt?
HELLER	Ich bin immer noch in Frankfurt. Ich fahre heute abend mit der Bundesbahn nach Stuttgart.
ZEHNPFENNIG	Ja, so weit ich mich entsinne, wollten Sie unsere Frau Schultze hier in Stuttgart besuchen?
HELLER	Ja, sehr gern, Herr Zehnpfennig. Ich bin morgen wie verabredet in Stuttgart, und wenn es Ihnen paßt, möchte ich morgen früh mal vorbeikommen.
ZEHNPFENNIG	Ja, morgen um halb zehn paßt uns ganz gut. Aber gehen Sie nicht

vorbei. Kommen Sie doch mal 'rein. Ich habe mit Frau Schultze schon gesprochen. Sie werden erwartet. ~o~ a~ expected.

HELLER   Ausgezeichnet. Also, bis dann, Herr Zehnpfennig.

ZEHNPFENNIG   Auf Wiederhören, Herr Heller, und Dank für den Anruf.

NOTE: the terms used in German connected with telephoning are not immediately identifiable with their English equivalents. Thus the 'switchboard' is *die Zentrale*; 'extension' is *die Nebenstelle*; 'a bad connection' is *keine gute Verbindung*; 'Who is speaking?' is *Kann ich um Ihren Namen bitten?*; and 'Please hold the line' is simply *Bitte warten*!

Dialling a German Town (e.g. Stuttgart) from England

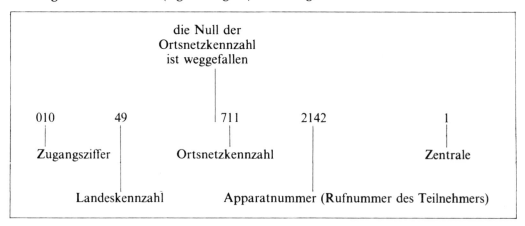

die Null der Ortsnetzkennzahl ist weggefallen

010   49   711   2142   1

Zugangsziffer   Ortsnetzkennzahl   Zentrale

Landeskennzahl   Apparatnummer (Rufnummer des Teilnehmers)

Ⓐ Answer in German

1. Warum meint der Kellner, es wäre günstiger für Herrn Heller, anderswo als im Hotel zu telefonieren?
2. Welche Nachteile hat ein Münzfernsprecher?
3. Welche Vorteile bestehen darin, daß man zur Post geht, um zu telefonieren?
4. Warum muß man aufpassen, wenn man von Deutschland aus London oder irgendeine andere englische Stadt anruft?
5. Wenn eine deutsche Firma Durchwahl hat, was erreicht man, wenn man die letzte Eins wählt?
6. Woher weiß Herr Heller, wie die Nebenstellennummer seines Kunden lautet?
7. Wie erreicht man unmittelbar eine Nebenstellennummer?
8. Woher kennt Herr Heller Herrn Zehnpfennig?
9. Wie fährt Herr Heller nach Stuttgart?
10. Wann hat Herr Heller Besuchstermin?

B Translate into English, giving special attention to the significance of the words in italics

1. Das läßt sich *schon* machen.
2. Es wird *wohl* sehr teuer sein.
3. *Besser wär's*, zur Post zu gehen.
4. Bei Münzfernsprechern treten *auch* Schwierigkeiten auf.
5. Kann ich etwas ausrichten, oder *möchten Sie lieber* mit Herrn Zehnpfennig sprechen?
6. Ist Frau Schultze *wohl* im Hause?
7. So erreichen Sie *unmittelbar* die Nebenstelle.
8. Die *nach dem Bindestrich stehende* Nummer ist wegzulassen.
9. Morgen um 14 Uhr *paßt es mir besonders gut*.
10. Zahlen Sie *erst nachher* bei mir am Schalter.

C With the minimum of gesticulation, explain in German the meaning of the following

1. Selbstwählferndienst
2. Ortsnetzkennzahl
3. Durchwahl
4. Nebenstellenvermittlung
5. Münzfernsprecher
6. Zugangsziffer

D Translate into German

1. I'm sorry, this is a bad line, please speak more slowly.
2. Mr Decker is not here at the moment, can you call back later?
3. It would be best to go to the post office and telephone from there.
4. It is much cheaper to phone from the post office than from the hotel.
5. At first Mr Heller did not understand, but the waiter spoke more slowly, and Mr Heller understood better.
6. What time is the earliest train to Stuttgart?
7. I have an important engagement, but my visit to Stuttgart is even more important.
8. I have never had a more successful business trip.
9. It is much more difficult to understand Mr Heller's secretary, because her voice is so much softer than his.
10. The weather here has been much better than in Frankfurt.
11. Herr Zehnpfennig sends you his warmest greetings.
12. Heller writes the longest, most boring reports of all our sales managers.

E

Example: Die Donau ist ein breiter Strom, (but the Rhine is even broader).
        Die Donau ist ein breiter Strom, aber der Rhein ist noch breiter.

1. Deckers Fabrik ist schon groß, (but Schmidt has an even larger plant).
2. Benzin ist schon teuer in Deutschland (but in Belgium the price is even higher).
3. Heute hatten wir schlechtes Wetter, (but yesterday it was even worse).
4. Schmidt hat einige ältere Maschinen, (but this factory has the oldest machines I have ever seen.)
5. Die Autobahn wird viel befahren, (but I prefer to go by train, because I find it more restful, more comfortable and more interesting).
6. Die neue Zeitschrift habe ich nicht gelesen, (but I hear that it is thicker, more colourful and more wide-ranging). umfassender.
7. Der neue Prospekt war zwar sehr interessant, (but the prices are higher, there are fewer models to choose from, and the delivery terms are less favourable).

F Rewrite the following sentences in the tense indicated

1. Das läßt sich schon machen.   (Perfect)
2. Doch auch hier treten Schwierigkeiten auf.   (Perfect)
3. Sie gehen zum Schalter und melden sich an.   (Future)
4. Sie erhalten eine Quittung.   (Imperfect)
5. Haben Sie oft öffentliche Fernsprechstellen benutzt? (benutzen)   (Present)
6. Wo kann ich telefonieren? können.   (Future)
7. Kann ich etwas ausrichten   same as before   (Future)
8. Wollen Sie mit Herrn Zehnpfennig sprechen?   (Future)
9. Wir haben ganz kurz in Stuttgart gesprochen.   (Imperfect)
10. Ich fahre mit der Bundesbahn nach Stuttgart.   (Perfect)
11. Ich bin wie verabredet in Stuttgart. gewesen.   (Perfect)
12. Ich habe mit Frau Schultze schon gesprochen.   (Present)
    Ich spreche schon mit Frau Schultze.

G Word order in 'wenn' and 'als' sentences

Examples: Er kommt heute abend. Wir gehen ins Kino. (wenn)
    Wenn er heute abend kommt, gehen wir ins Kino.
    Ich war in Düsseldorf. Ich habe ihn kennengelernt. (als)
    Als ich in Düsseldorf war, habe ich ihn kennengelernt.

1. Sie telefonieren auf dem Marktplatz. Est ist billiger. (wenn)
2. Man geht zum Schalter. Man kann eine Quittung erhalten. (wenn)
3. Der Ort ist im Selbstwählferndienst zu erreichen. Man kann die Verbindung selbst wählen. (wenn)
4. Ich kam in Stuttgart an. Frau Schultze hat mich abgeholt. (als)

5. Ich war in Frankfurt.   Ich habe mit Herrn Zehnpfennig gesprochen.   (als)
6. Sie besuchen England.   Sie müssen zu uns kommen.   (wenn)
7. Ich möchte meine Firma in England anrufen.   Die erste Null fällt weg.   (wenn)
8. Ich will telefonieren.   Ich gehe zur Post.   (wenn)
9. Ich war gestern in der Stadt.   Ich habe mit meinem Freund Kaffee getrunken.   (als)
10. Ich bin in Freiburg.   Ich esse sehr gern Schwarzwälder Kirschtorte.   (wenn)
11. Eine Firma hat Durchwahl.   Man kann unmittelbar die Nebenstelle erreichen.   (wenn)
12. Er fing an, Deutsch zu sprechen.   Ich konnte kein Wort verstehen.   (als)

Ⓗ Rôle-playing

You are an executive in an export office — ein Angestellter/eine Angestellte — the switchboard operator puts through a call to you from a man calling himself Becker.

BECKER	Guten Tag. Mein Name ist Becker. Darf ich Deutsch sprechen?
ANGESTELLTE (R)	*(He may, of course, speak German. How can you be of assistance?)*
BECKER	Stimmt das, daß Sie in Ihrem Programm eine elektronische Kranwaage mit Infrarot-Fernbedienung haben?
ANGESTELLTE (R)	*(That is quite correct. It is the model CW 100. For his guidance, the price is £1850 f.o.b.)*
BECKER	Ich wäre Ihnen sehr dankbar, wenn Sie mir Ihren neuesten Prospekt zuschicken würden.
ANGESTELLTE (R)	*(That will be no problem at all. You will put a catalogue in the post this afternoon. You would like the name and address of Becker's company.)*
BECKER	Mein Name ist Georg Becker. Die Firma heißt Becker GmbH, und die Anschrift lautet: 5000 Köln, Fichtestraße 127. Haben Sie übrigens einen Fernschreiber? Es geht viel schneller per Fernschreiber, wenn man bestellen will.
ANGESTELLTE (R)	*(If he decides to place an order, he can, of course, do so by telex. You would, however, be grateful if written confirmation could follow the telex. Your telex number is 353721.)*
BECKER	Gut. Ist in Ordnung. Ich lese mal den Prospekt durch, und dann setze ich mich mit Ihnen wieder in Verbindung.
ANGESTELLTE (R)	*(As you said, you will send the latest catalogue and a current price list in the post this afternoon. You hope to hear from him soon. You thank him for his call.)*

GRAMMAR *Comparison of Adjectives*

The comparative and superlative of adjectives are formed in German very much as in English, namely by adding —er for the comparative and —(e)st for the superlative. The Germans, however, do not use 'more' and 'most' for longer adjectives as we do, but keep to —er and —(e)st in all cases: those ending in —d, —s, —sch, —t, —x and —z are the ones which need —est.

(a) attributive adjectives (i.e. those occuring before a noun):

Positive	Comparative	Superlative
schnell	schneller	der schnellste
schön	schöner	der schönste
reich	reicher	der reichste

The comparative and superlative forms are declined as ordinary adjectives:

Ich brauche einen schnellen Zug.   I need a fast train.
Ich brauche einen schnelleren Zug.   I need a faster train.
Ich brauche den schnellsten Zug.   I need the fastest train.

Most adjectives of one syllable, when the vowel is *a*, *o*, or *u* (but NOT *au*), modify the vowel in the comparative and superlative forms.

alt	älter	älteste
groß	größer	größte
kurz	kürzer	kürzeste

(b) irregular comparisons

Monosyllabic adjectives which do not modify the vowel include *brav, bunt, falsch, flach, froh, hohl, kahl, klar, lahm, rasch, rund, stolz, stumpf, voll, wahr, zahm*

gut	besser	am besten, der beste
hoch	höher	am höchsten, der höchste
nah	näher	am nächsten, der nächste
viel	mehr	am meisten, das meiste
groß	größer	am größten, der größte

Comparisons in terms of equality is expressed by '*so*' or '*ebenso*' before the adjective and '*wie*' or '*als*' after it:
Er ist ebenso alt wie ich.
Herr Zehnpfennig ist ebenso reich wie Herr Schmidt.
Sie ist so klug als schön.

(c) Comparison of adverbs and predicative adjectives

Adverbs and predicative adjectives form their comparative and superlative in a similar manner:

schnell	schneller	am schnellsten
breit	breiter	am breitesten

These adjectives are not declined

Dieser Zug ist schnell.

Dieser Zug ist schneller.

Dieser Zug ist am schnellsten.

Irregular comparatives include:

bald	früher	am frühesten
gern	lieber	am liebsten
gut	besser	am besten

NOTE: *Er wird immer reicher.* He gets richer and richer.

USEFUL EXPRESSIONS

Selbstwählferndienst S.T.D. (Subscriber Trunk Dialling), whereby, if the subscriber knows the area code, he can call a number on a different exchange directly, without calling the operator.

Ortsnetzkennzahl area code

Durchwahl through dialling: if a German company uses '*Durchwahl*', it means you can dial the required <u>extension</u> within that company directly, without going through the switchboard.

Nebenstellenvermittlung the firm's switchboard

Münzfernsprecher coin-operated phone box

Zugangsziffer the entry code, which consists of an international prefix, which varies from country to country, and a 'country code'. For example, if you were in Germany and wished to call England, you would dial 00 then 44. If you are in England and want to call Germany, you would dial 010 then 49.

kein Anschluß unter dieser Nummer this means the number does not exist any more. Dial 118 and check.

die Gebührenangabe A.D.C. (advise duration and cost)

wohl is often used to express the idea of probability: '*Er ist wohl nach Hause gegangen.*' (He has probably . . .) *vielleicht*', on the other hand, suggests only possibility — there is some doubt: '*Er ist vielleicht nach Hause gegangen.*' (He might have . . .).

CHAPTER 5

Die Einkaufsleiterin verhandelt mit Herrn Heller

Heller has arrived at the Zehnpfennig factory in Stuttgart, where he is met by Frau Schultze.

FRAU SCHULTZE	Herzlich willkommen in Stuttgart, der Haupstadt des deutschen Südwestens. Wir freuen uns sehr über Ihren Besuch, Herr Heller.
HELLER	Danke schön. Ich freue mich auch, Sie in dieser schönen Stadt besuchen zu können. Ich hab' schon viel über Baden-Württemberg und insbesondere über das Schwabenland gelesen.
FRAU SCHULTZE	Werden Sie Gelegenheit haben, unsere Stadt zu besichtigen?
HELLER	Leider nicht, denn heute abend schon geht meine Fahrt nach Düsseldorf weiter.
FRAU SCHULTZE	Das ist ja schade. Vielleicht das nächste Mal. Also bitte, Herr Heller, setzen wir uns hier hin. Einen Kaffee trinken Sie doch.
HELLER	Sehr gerne.

The pleasantries are soon completed, and within minutes Heller and Frau Schultze are having a serious business conversation.

HELLER	Auf der Messe hatten wir den Eindruck, daß unsere Erzeugnisse Ihren Bedürfnissen entsprechen — and selbstverständlich möchten wir hierher exportieren.
FRAU SCHULTZE	Auf der Messe haben wir uns genau umsehen können. Die Qualität Ihrer Erzeugnisse ist gut. Wie ist es eigentlich mit der Lieferung bzw. Installation? Unsere Konstruktionsabteilung ist nämlich schon stark beansprucht.
HELLER	Unsere Leistung umfaßt Planung und Bau der Anlage, einschließlich der dazu erforderlichen Steuerung, vom ersten Entwurf über Konstruktionszeichnungen und Fertigung von Hardware und Software, sowie Installation bis zur werksamtlichen Abnahme. Das bedeutet für Sie eine Entlastung Ihrer Konstruktions — und Bauabteilung.
FRAU SCHULTZE	Das schon, aber wie ist es mit der Lieferfrist?
HELLER	Aber Frau Schultze — Sie wissen doch! Seit Mitte 1993 unterqueren

27

Güterzüge den Ärmelkanal im Zwölf-Minuten-Takt mit 100 Stunden-kilometern. Man benötigt jetzt von London nach Frankfurt nur noch knapp fünf Stunden, nach Köln nur noch drei Stunden 45 Minuten, nach Hamburg wie nach München gut sieben Stunden. Fast als ob unser Lager hier in der Bundesrepublik wäre.

FRAU SCHULTZE Kann sein. Herr Heller, wir müssen uns jetzt noch ein bißchen über die Zahlungsbedingungen unterhalten.

HELLER Sie wurden uns als eine sehr zuverlässige Firma empfohlen, mit der man im Vertrauen handeln kann, und wir verstehen, daß Sie die Ware auf Ziel kaufen wollen. Das Zahlungsziel müssen wir noch verein-baren, aber vermutlich haben Sie etwa 60 Tage nach Erhalt im Sinne.

FRAU SCHULTZE Genauso ist es. So, Herr Heller, ich kann Ihnen sagen, daß Ihre Vorschläge für uns nicht uninteressant sind. Ich bespreche alles mit Herrn Zehnpfennig, und wir werden uns in den nächsten Tagen entscheiden. Wir sehen uns heute nachmittag wieder, nicht wahr?

HELLER Ja, bei der Fabrikbesichtigung. Also, bis dahin, Frau Schultze, sag' ich Ihnen Auf Wiedersehen und schönen Dank.

„Dieser Herr ist bereit, unser Unternehmen zu kaufen; vorausgesetzt, wir leihen ihm dafür das nötige Geld."

NOTE: The abbreviation *bzw.* stands for '*beziehungsweise*', which means 'respectively', 'or', 'or . . . as the case may be'. It is most frequently met in its abbreviated form.

Ⓐ Answer in German

1. In welchem Bundesland liegt Stuttgart?
2. Warum kann Herr Heller die Stadt Stuttgart nicht besichtigen?
3. Wohin fährt Herr Heller heute abend?
4. Was hält Frau Schultze von der Qualität der angebotenen Erzeugnisse?
5. Warum kümmert sich Frau Schultze um die Installation?
6. Wie schnell fahren die Güterzüge?
7. Wie lange dauert die Fahrt von London nach Köln?
8. Was schlägt Herr Heller als Zahlungsziel vor?

9. Wann wird sich Frau Schultze entscheiden?
10. Wann wird Herr Heller Frau Schultze wiedersehen?

B Translate into German

1. Did you have a chance to look round the factory?
2. That is a real pity. Perhaps you can stay longer the next time. *Vielleicht können Sie nächstes mal länger bleiben*
3. I had the impression that you were very interested.
4. Our construction division is fully occupied at the moment.
5. Goods trains go under the English Channel at 100 km/hr.
6. It only takes five hours to get from London to Frankfurt.
7. It's as if we had a warehouse here in Germany.
8. You were recommended to us as being very trustworthy.
9. I shall make my mind up in a few days. *entscheiden* *Ich werde.*
10. We shall see you again tomorrow morning. *Wir werden sie morgen früh wieder sehen.*

C Explain orally in German the following words or phrases

1. Ihre Erzeugnisse entsprechen unseren Bedürfnissen.
2. Wir haben uns genau umsehen können.
3. Unsere Leistung umfaßt Planung und Bau der Anlage.
4. Man benötigt knapp fünf Stunden.
5. Zahlungsbedingungen.
6. Zahlungsziel.
7. Eine zuverlässige Firma.
8. Ich bin zur Zeit sehr beansprucht.
9. Werksamtliche Abnahme.
10. Auf Ziel kaufen.

D Prepositions — replace the dash with the appropriate prepositional form

1. Ich freue mich sehr — Ihren Besuch. (I am pleased about it.) *über*
2. Ich freue mich sehr — Ihren Besuch. (I am looking forward to it.) *auf.*
3. Ich habe viel — die Frankfurter Messe in der Zeitung gelesen. *über.*
4. Morgen früh fahren wir — Düsseldorf weiter. *nach.*
5. Sie müssen — dem Bus zum Hauptbahnhof fahren. *mit.*
6. Der Zug fährt — Frankfurt und Köln nach Düsseldorf. *über*
7. Wir haben uns — der Messe genau umsehen können. *an.*
8. Ich stehe Ihnen — Verfügung. *zur.*
9. Fragen Sie am Eingang — Herrn Zehnpfennig. *nach.*
10. Kommen Sie morgen — zehn Uhr; Frau Schultze kümmert sich — Sie. *um* *um*

29

E Translate into English

Mikroelektronik

Ihre steile Karriere verdankt die Mikroelektronik vor allem der Tatsache, daß sie der Wirtschaft produktive Impulse gibt. Mikrorechner überwachen und steuern in immer größerem Umfang technologische Prozesse. Ihr massenhafter Einsatz im Produktionsprozeß ist durch die weitgehend automatisierte Produktion von Mikro-prozessoren möglich geworden. Flexible Anwendbarkeit, niedrige Kosten, große Zuverlässigkeit, geringer Raum und Energiebedarf garantieren positive ökonomische Wirkungen. Die Mikroelektronik ist die Schlüsseltechnologie für einen kräftigen Rationalisierungsschub.

F Translate into German

1. Do not forget to fasten your seat-belt.
2. If you take the express train, you do not have to change.
3. I am not responsible for this department.
4. They were not recommended to us.
5. I cannot see you until 11 o'clock.
6. If your machines were not so dear, we would buy them.
7. You should not believe everything you see on the television.
8. If you do not travel, we cannot refund your money.
9. If you had not come to Frankfurt, you would not have met Frau Schultze.
10. I do not understand you. Why don't you speak more slowly?

G Rôle-playing

Play the rôle of the buyer in this dialogue with a visiting German salesman.

BUYER — (*Welcome him to Birmingham — England's second city.*)

SALESMAN — Danke. Es ist mir immer ein Vergnügen, England zu besuchen.

BUYER — (*Does he know Birmingham well? Has he been here before?*)

SALESMAN — Nein, ich bin zum ersten Mal hier, und muß leider heute noch nach Manchester weiter.

BUYER — (*Offer him a cup of coffee, or tea if he prefers it.*)

SALESMAN — Gerne. Ich trinke lieber Kaffee — ohne Zucker.

BUYER — (*You know his products well already. The quality has always been good. You are worried that the prices have gone up so much since Christmas.*)

SALESMAN — Ja, aber die Rohstoffpreise haben sich wesentlich erhöht. Das wirkt sich ungünstig aus — nicht nur für Sie, sondern auch für uns.

BUYER — (*Maybe so. You will have to discuss this with your boss. You hope to make a decision within the next few days.*)

SALESMAN	Ich bleibe drei Tage in Manchester. Soll ich Freitag mal wieder vorbeikommen?
BUYER	(*You don't think so. Your boss may not be available, and you don't want him to come and be disappointed. It would be better if you wrote to him.*)
SALESMAN	Dann ist's gut. Ich bedanke mich. Meine Rufnummer haben Sie schon, nicht wahr?
BUYER	(*You have indeed. Thank him for his visit, and wish him a safe journey.*)

H Guided conversation

With the help of the following information record or write a summary of the dialogue:

Frau Schultze freut sich, Herrn Heller kennenzulernen. (Wer ist Frau Schultze?) Sie fragt, ob Herr Heller Stuttgart schon kennt. (Was sagt Herr Heller? Warum kann er die Stadt nicht besichtigen? Wohin fährt er?) Frau Schultze kümmert sich um die Lieferung und Installation. (Warum? Wer ist beansprucht?) Herr Heller beruhigt sie. (Wie? Was umfaßt seine Leistung?) Frau Schultze fragt nach der Lieferfrist. Heller beruhigt sie. (Wie schnell fahren die Güterzüge? Wie lange benötigt man von London nach Frankfurt?) Herr Heller und Frau Schultze besprechen Zahlungsbedingungen. (Wie will Frau Schultze zahlen? Welche Frist wird erwähnt?) Herr Heller verabschiedet sich. (Wann sehen sie sich wieder? Unter welchen Umständen?)

GRAMMAR *Position of 'Nicht'*

Revise the foregoing chapters, noting the position of 'nicht', which may be summed up as follows:

(a) In a negative main clause, 'nicht' stands immediately before the past participle, the infinitive, the separable prefix or the predicative adjective which it negates.

Bei Münzfernsprechern wird der zuviel bezahlte Betrag *nicht* zurückgegeben.

Das Frankfurter Nachtleben kann ich sowieso *nicht* empfehlen.

Geh lieber, und rühre mich *nicht* an!

Die Qualität Ihrer Erzeugnisse ist *nicht* gut.

But if none of the above is present, 'nicht' is the last word:

Das verstehe ich *nicht*.

Er macht die Aufgabe *nicht*.

(b) In a negative subordinate clause, 'nicht' stands before the finite verb.

If there is a past participle, an infinitive or a predicative adjective, 'nicht' stands before that:

Wenn Sie sich *nicht* anschnallen . . .
Wenn ich *nicht* gekommen wäre . . .
Wenn Sie *nicht* kommen wollen . . .
Wenn Ihre Erzeugnisse *nicht* teuer wären . . .

(c) If a particular word is to be negated, '*nicht*' stands immediately before that word:
Man soll *nicht* alles glauben, was man in der Zeitung liest.
Ich kann Ihnen sagen, daß Ihre Vorschläge für uns *nicht* uninteressant sind.

USEFUL EXPRESSIONS

unsere Leistung umfaßt	the service we provide includes
auf Ziel kaufen	to buy on account
wenn sich eine Gelegenheit ergibt	if an opportunity arises
wir interessieren uns für Ihre Erzeugnisse	we are interested in your products
Zahlungsziel	'*auf Ziel kaufen*' is to buy on account/credit (e.g. '*gegen 3 Monate Ziel*'). So the *Zahlungsziel* is the agreed time by which accounts are to be settled.
Schlagzeilen machen	to hit the headlines
werksamtliche Abnahme	the official acceptance of equipment. It implies that the equipment has been installed correctly and has been tested in situ by the purchasing company's engineers and is functioning to their satisfaction.

CHAPTER 6

Eine Fabrikbesichtigung

Heller, Zehnpfennig and Frau Schultze are in reception. They are going to walk through the factory and are met by Herr Krause, the works foreman.

ZEHNPFENNIG	Herr Heller, darf ich Ihnen Herrn Krause vorstellen? Er wird uns freundlicherweise durch die Werksanlagen führen.
KRAUSE	Angenehm.
HELLER	Guten Tag.
	(Krause leads the way as the party goes into the factory.)
HELLER	Die Lage der Werke unmittelbar in der Stadtmitte muß vorteilhaft sein. Schon vom Bahnhof aus habe ich Ihre Fabrik sehen können.
ZEHNPFENNIG	Ja, Stuttgart hat günstige Verkehrsverbindungen zu vielen wichtigen Industriestädten — München, Karlsruhe und Frankfurt sind durch die zentrale Lage Stuttgarts bequem und schnell zu erreichen.
KRAUSE	Hier links ist die Qualitätskontrolle. Ohne weiter Erläuterung verständlich, nicht wahr? Es ist sowieso keiner da. Gehen wir weiter. Rechts ist die Forschungsabteilung. Man arbeitet ständig an Verbesserungen, neuen Produkten und Maßnahmen zur Steigerung der Produktivität.
HELLER	Sind Sie schon lange bei Zehnpfennig A.G. beschäftigt?
KRAUSE	Ich bin schon seit 1978 hier. Ich kam als Schulabgänger in die Lehre zu dieser Firma . . . Hier durch ist das Lager.
HELLER	Haben Sie nur ein Lager?
KRAUSE	Ja, ein Zentrallager für alle Bereiche. Hier werden Rohstoffe, Halbfabrikate und die wichtigsten Ersatzteile gelagert.
HELLER	In London haben wir drei kleinere dezentral angeordnete Einzellager — also, Montage—, Fertigungs—, und Ersatzteillager.
FRAU SCHULTZE	Das ist interessant. So 'was möcht' ich mal sehen.
HELLER	Es wär' mir ein Vergnügen, wenn Sie uns in London besuchen könnten. Das könnten wir vielleicht nachher besprechen.
FRAU SCHULTZE	Gerne.
HELLER	In unserem Unternehmen haben wir Nachwuchssorgen, die wegen der demographischen Entwicklung stets zunehmen. Der

Fachkraftmangel vergrößert sich und bremst unser Wachstum und unsere Beschäftigung.

FRAU SCHULTZE Auch hier in Deutschland wird viel von Mangel an Facharbeitern und Auszubildenden geredet. Ich glaube, das Problem ist hier noch schlimmer als in England. Wissen Sie, Herr Heller, hier ist die Geburtenrate rückläufig (wir haben sogar die niedrigste Geburtenziffer der Welt) und vermag nicht mehr die Sterberate auszugleichen. Bei so einem Nachwuchsmangel müssen wir verstärkt um Lehrlinge werben.

HELLER Es würde mich ja schon interessieren, auf welche Gruppen Sie zielen, Frau Schultze.

FRAU SCHULTZE Ja, nach wie vor auf die Hauptschüler — aber jetzt ebenso auf Realschüler, Frauen, die lange Zeit nicht gearbeitet haben, und Mädchen. Ja — und junge Ausländer.

HELLER Mädchen?

FRAU SCHULTZE Ja, bei uns ist jeder vierte Lehrling ein Mädchen.

HELLER Wir suchen auch Top Manager, um unsere strategischen Visionen und unseren Führungsanspruch in den hart umkämpften Märkten durchzusetzen.

FRAU SCHULTZE Ja, bei uns werden vor allem Marketing— und Verkaufsmanager gesucht.

HELLER Genau. Zur Zeit gehen wir auf der Suche nach Talenten, die die Marktanteile auszuweiten verstehen und neue Produkte erfolgreich in den Markt einführen können, sehr aggressiv vor.

»Seit seiner Pensionierung fehlt Vati das Büro sehr«

KRAUSE	Jetzt die Fertigungsstraße. Auch in der Fertigung folgen wir dem allgemeinen Trend zur Automation. Hier auf der Fertigungsstraße haben die Roboter den Menschen von schwerer körperlicher Arbeit entlastet.
HELLER	Bei uns ist die Fertigungsstraße computergesteuert. Dabei laufen die Träger numerisch gesteuert über Rollbahnen von einer Bearbeitungsstation zur nächsten.
KRAUSE	Und da sind wir wieder im Büro. Hier verabschiede ich mich, Herr Heller.
HELLER	Herzlichen Dank für die Fabrikbesichtigung!
KRAUSE	Gerne geschehen. Auf Wiedersehen!

Note the different forms of German business organisation:

1. *Die Einzelfirma* (sole trader). The owner is an individual. The company's name must be formed from the surname and at least one Christian name of the owner (*Eigentümer*). The sole trader takes all the profits (*Gewinne*). The sole trader has unlimited liability (*unbeschränkte Haftung*).

2. *Offene Handelsgesellschaft — oHG* (ordinary partnership). A minimum of two partners (*Gesellschafter*) are the owners. Each partner has unlimited liability.

3. *Kommanditgesellschaft — KG* (limited partnership). A minimum of two partners are the owners. One partner at least must have unlimited liability. This is the general partner (*Komplimentär*). The other partners can be limited partners (*Kommanditist*). Each of these is liable to the amount of his investment (*zur Höhe seiner Einlage*).

4. *Gesellschaft mit beschränkter Haftung — GmbH* (private limited company). Here the shareholders are the owners. Each shareholder must contribute at least DM500 capital, but is liable only to the amount of his investment. The company is run by a Board of Directors or by one director (*Geschäftsführer*).

5. *Aktiengesellschaft — AG* (public limited company). At least five persons are required to form an *Aktiengesellschaft*. The shareholders (*Aktionäre*) are only liable to the amount of their investment (*Aktien* are shares).

Summary

Einzelfirma   Gesellschaftsunternehmen

                        Personengesellschaft   Kapitalgesellschaft

                    oHG   KG   GmbH   AG

A Answer in German

1. Wo stehen die Zehnpfennigwerke?
2. Wieso ist die Lage günstig?
3. Was macht man in der Forschungsabteilung?
4. Wie lange ist Herr Krause schon bei dieser Firma?
5. Welche Lager hat Hellers Fabrik in London?
6. Welches Problem ist noch schlimmer in Deutschland als in England?
7. Warum muß die Firma Zehnpfennig verstärkt um Lehrlinge werben?
8. Auf welche Gruppen zielt die Firma Zehnpfennig?
9. Warum werden auch Top Manager gesucht?
10. Was sind die Vorteile der Automation?
11. Beschreiben Sie die Fertigungsstraße bei Brinkmann in London.

B Translate into German

1. May I introduce Herr Krause?
2. It must be very advantageous to be situated so close to the motorway.
3. We have very good connections to the most important industrial towns.
4. That is self-explanatory, isn't it?
5. We are constantly working on ways to improve productivity.
6. I came to this firm as a school leaver.
7. I should be very pleased if you could visit us in London.
8. In the production department we are following the general trend towards automation.
9. We have to increase our efforts to attract apprentices.
10. We are targeting housewives who haven't worked for quite some time.
11. In our factory every fifth worker is a foreigner.
12. Now I must say goodbye to you.

C Explain in German

1. Verkehrsverbindungen.
2. Er wird uns durch die Werksanlagen führen.
3. Die Werke stehen unmittelbar in der Stadtmitte.
4. Ich kam als Schulabgänger in die Lehre hierher.
5. Qualitätskontrolle.
6. Ersatzteillager.
7. Nachwuchssorgen.
8. Der Fachkraftmangel vergrößert sich.
9. Auszubildende.
10. Eine computergesteuerte Fertigungsstraße.

D Put into the future tense

1. Wir arbeiten ständig an Verbesserungen.
2. Jeden Tag bespreche ich die Einzelheiten mit dem Meister.
3. Er ist in seiner neuen Fabrik beschäftigt.
4. Einige Tätigkeiten müssen von Menschen ausgeführt werden.
5. Jeden Abend verabschiede ich mich von meinen Kollegen.
6. Auch in der Fertigung sind wir dem Trend zur Automation gefolgt.
7. Ich habe ihn jeden Tag besuchen können.
8. Die Reise hat meine Frau sehr angestrengt.
9. Die Ausstellung war sehr langweilig für mich, da ich keine Fremdsprachen verstehe.
10. Er hat ein ganzes Jahr in dieser Fabrik gearbeitet.

E Modal verbs — translate into German

1. Everyone should visit Frankfurt at least once.
2. No, I cannot speak German: I should have worked harder at school.
3. The conference is supposed to take place in a hotel in Frankfurt.
4. I have too much to do. I'm afraid I shan't be able to come.
5. It is obvious that he can neither speak nor write German.
6. Herr Zehnpfennig had no money, so I had to pay.
7. May I speak to Frau Schultze? She is supposed to meet me in Bonn.
8. He says he cannot see you and asks if you can come back tomorrow.
9. Thou shalt not kill.
10. He is said to be very rich.
11. He could have come, but didn't want to.
12. That may well be the case, but you should still speak to him.

F 'Kennen' or 'Wissen'?

1. — Sie Frankfurt? Ja, ich war öfters auf der Messe, und ich — die Stadt ganz gut.
2. Ich — nicht, ob Herr Zehnpfennig nach Frankfurt fährt. — Sie es?
3. — Sie das neue Hotel 'Zum Löwen'? Ich — es überhaupt nicht.
4. Stuttgart — ich nicht gut, aber ich — , daß es die Hauptstadt des deutschen Südwestens ist.
5. Er fragte mich, wie es Frau Schultze geht, und ich — es nicht. Ich — überhaupt nicht, daß er Frau Schultze — . Er — auch Fräulein Adams, und er — , daß sie in Frankfurt gewesen ist.
6. Herr Zehnpfennig — jeden einzelnen Mitarbeiter und — , wie sie alle heißen. Ich — nicht, wie er es macht.
7. Soviel ich — , ist er schon abgereist. — Sie, wo der Bahnhof ist? Nein, diese Stadt — ich überhaupt nicht.
8. Die Polizei hat ihn verhaftet? Das — ich nicht. Ich — ihn nur als anständig und bescheiden.

9. Was willst du eigentlich? Ich — dich nicht mehr. Du — doch, daß ich gehen muß.
10. — Sie schon unsere Erzeugnisse? Nein, aber ich — Ihren Ruf, und —, daß Herr Zehnpfennig Sie für vertrauenswürdig hält.
11. Ich — ihn schon seit Jahren und —, daß er ehrlich ist.
12. — Sie, wann der Zug ankommt? Nein, aber eine Auskunftstelle befindet sich in der Schillerstraße. — Sie die Schillerstraße? — Sie, wo sie ist?

G Translate into German

1. Are you going to exhibit in Düsseldorf next summer?
2. The next time I go to Germany, I shall fly to Stuttgart.
3. This firm will have to reduce the size of its workforce.
4. I am catching the train to Frankfurt in the morning.
5. I shall meet you at the main entrance.
6. He will probably be there already.
7. My secretary will phone and reserve a table.
8. Are they going to give you a guided tour?
9. They are going to build a new factory right by the motorway.
10. I shall visit him again next month.

H Rôle-playing

You are taking a German visitor round your factory. (Believe us, if you speak German, this task will be given to you!) Play the part of the guide.

GUIDE	*(Good morning. I am going to give you a guided tour through our factory.)*
GUEST	Danke. Das muß sehr vorteilhaft sein, daß Ihre Fabrik unmittelbar an der Autobahn steht.
GUIDE	*(Yes indeed. We are well situated for Birmingham, Southampton and the West.)*
GUEST	Sind Sie schon lange bei dieser Firma beschäftigt?
GUIDE	*(Not really: you have been here eighteen months. On our left, by the way, is the research department.)*
GUEST	Ja, man muß ständig an Verbesserungen arbeiten.
GUIDE	*(Not only that, but on new products and ways of improving productivity.)*
GUEST	In unserem Unternehmen haben wir Nachwuchssorgen. Die Fachkraftmängel vergrößern sich und bremsen unser Wachstum.
GUIDE	*(Yes, in Great Britain too we have problems recruiting trainees and apprentices. But we also have a desperate need for managers of high quality. But here we are back at the reception hall.)*
GUEST	Vielen Dank für den Einblick ins Arbeitgebiet Ihres Unternehmens.
GUIDE	*(The pleasure was yours. Thank him for his interest. Good-bye.)*

● Translate into German

Hello! Could I speak to Herr Zehnpfennig please? I'm sorry, this is a very bad line, could you speak more slowly? Oh, I see, he's not in. In that case, could I speak to Mrs Schultze?

Good morning, Mrs Schultze. This is Peter Heller. If you remember, we met briefly in Frankfurt at the Motor Show. Yes, that's right, I was wanting to visit your factory. As a matter of fact I shall be in Stuttgart tomorrow morning, and I could be with you at ten o'clock if it is convenient. I really would appreciate a guided tour of your site. Perhaps we could also discuss delivery arrangements. You did have some queries, didn't you?

Would it be possible to speak with someone from your Research and Development department? There are one or two points I want to clarify. Yes, that's right, I am especially interested in your plans for automation. Fine. Until then. Thank you, Frau Schultze. Good-bye.

GRAMMAR   *Revision of the Future Tense*

1. The future tense is formed with the present tense of the verb '*werden*' (shall/will in English) plus the infinitive:
   Wir *werden* nächstes Jahr in Frankfurt ausstellen.

2. The infinitive stands at the end of its clause or sentence:
   Diesen Sommer werde ich geschäftlich in Hamburg *sein*.
   Ich werde Herrn Zehnpfennig *besuchen*.

3. Provided that the future meaning is made quite clear (e.g. by the use of an adverb), the present tense may be used:
   Ich schreibe ihm morgen.
   Ich kann heute nicht fahren; ich fahre morgen.

4. The future can be used to express probability:
   Er wird schon zu Hause sein.

USEFUL EXPRESSIONS

die Montage	assembly, assembling
die Fertigung	production, manufacture
die Handhabung	materials handling
das Ersatzteillager	spare parts store — note the three parts of the word:
	1. *ersetzen* — to replace, substitute
	2. *der/das Teil* — part/component/division
	3. *das Lager* — store/depot/warehouse

CHAPTER 7

Flug nach Düsseldorf

Frau Schultze is driving Heller to Stuttgart airport, where he is to catch a flight to Düsseldorf.

HELLER	Das ist aber nett von Ihnen, mich zum Flughafen zu fahren. Ich brauche also keine Angst zu haben — sonst hätte ich die ganz Nacht befürchtet, den Flug zu versäumen.
FRAU SCHULTZE	Es macht mir keine Mühe, Sie zum Flughafen zu bringen, ich fahre sowieso daran vorbei. Ich wollte Ihnen nur raten, erstens die Altstadt in Düsseldorf zu besuchen, und zweitens durch das ganze Ruhrgebiet zu fahren — es lohnt sich.
HELLER	Tu' ich bestimmt: aber welche Städte meinen Sie damit?
FRAU SCHULTZE	Also: Duisburg; Oberhausen; Essen; Gelsenkirchen; Bochum; Dortmund; Wuppertal — jede von diesen Städten hat ihre Besonderheiten.
HELLER	Ich bin heute um zwei Uhr zu einer Konferenz verabredet und muß vorher ein Auto mieten, aber heute abend gehe ich in die Düsseldorfer Altstadt.
FRAU SCHULTZE	Das Auto hätten Sie von hier aus mieten können, wußten Sie das nicht?
HELLER	Eine Mitarbeiterin der Firma wird mich mit dem Wagen am Düsseldorfer Flughafen abholen. Wir müssen direkt zum Büro

„*Nun wissen wir, daß es nicht die Batterie ist*"

fahren, und nachher habe ich ein bißchen Zeit und kann mir ein passendes Auto besorgen.

FRAU SCHULTZE   Düsseldorf wird Ihnen bestimmt gefallen — eine herrliche Stadt. Als Landeshauptstadt von Nordrhein-Westfalen hat es eine Atmosphäre von Wohlstand, die geradezu imponierend ist. Wo liegt denn das Büro von Klopper?

HELLER   In der Königsallee, glaube ich.

FRAU SCHULTZE   Ach die Kö — eine der schönsten Straßen, die ich kenne. Dort müßten Sie eigentlich einen ganzen Tag verbringen, um einen richtigen Eindruck zu bekommen.

HELLER   Ich werde mich bemühen, so viel wie möglich in der etwas knappen Zeit zu sehen. Übrigens dürfen Sie nicht vergessen, daß Sie versprochen haben, dieses Jahr noch mich in England zu besuchen.

FRAU SCHULTZE   Versprochen wohl nicht! Aber wenn alles klappt hier in der Firma — dann ja — gerne.

HELLER   Ich fange allmählich an, mich hier ganz zu Hause zu fühlen. Hoffentlich werde ich in Zukunft regelmäßig nach Deutschland kommen.

FRAU SCHULTZE   Dann werden wir uns bestimmt wiedersehen! Ich wünsche Ihnen erfolgreiche Tage im Ruhrgebiet!

HELLER   Ebenfalls! Kommen Sie gut nach Hause! Auf Wiedersehen, und vielen Dank!

NOTE: North Rhine Westphalia is the richest of all the *Bundesländer*, and its wealth comes largely from the *Ruhrgebiet*, the biggest industrial area in Germany, with a total population of five or six million. While it could be described as a conurbation, it should be made clear that it includes areas of farming land and is far from being completely built up.

Ⓐ Answer in German

1. Wie fährt Herr Heller zum Stuttgarter Flughafen?
2. Warum macht es Frau Schultze keine Mühe, ihn dahin zu bringen?
3. Welchen Rat gibt Frau Schultze Herrn Heller?
4. Was macht Herr Heller um zwei Uhr?
5. Was muß er vorher erledigen?
6. Wohin wird er vom Düsseldorfer Flughafen fahren?
7. Von welchem Bundesland ist Düsseldorf die Hauptstadt?
8. In welcher berühmten Straße liegt das Büro von Klopper?
9. Will Frau Schultze Herrn Heller in England besuchen?
10. Wie fühlt sich Herr Heller jetzt in Deutschland?
11. Möchte er noch einmal nach Deutschland kommen?
12. Was wünscht ihm Frau Schultze?

B Translate into German

1. I don't need to worry at all. *gar*
2. I'm going that way anyway.
3. I have an engagement for two o'clock.
4. You could have done that from here.
5. We are going straight to the office.
6. You would need to spend a whole day there.
7. The time's a little short.
8. Everything has gone swimmingly. *Alles ist sehr gut/kaum gegen g-x.*
9. I'm gradually beginning to feel at home here.
10. Same to you!

C Order of Adverbs

Example: Er reist (in die Schweiz im August jedes Jahr).
Er reist jedes Jahr im August in die Schweiz.

1. Der Zug fuhr ein (planmäßig auf Gleis 4 heute).
2. Soll ich also ankommen (in Stuttgart um halb zehn Dienstag)?
3. Wir fahren (nach München nächste Woche mit dem D-Zug).
4. Wir sind gelandet (in Frankfurt pünktlich jetzt).
5. Er ist geblieben (wegen Krankheit gestern zu Hause).
6. Ich reise (nach Spanien am liebsten im Winter).
7. Sie müssen fahren (über eine Umleitung wegen der Baustelle morgen).
8. Ich habe eine Panne gehabt (unglücklicherweise auf der Autobahn vorgestern).

D Adjectives formed from place names

Example: Die Philharmoniker (Wien)
Die Wiener Philharmoniker *orchestra*

1. Der Dom   (Köln)
2. Das Hofbräuhaus   (München)
3. Der Hafen   (Hamburg)
4. Die Theatersaison   (Berlin)
5. Das Wetter   (London)
6. Die Festspiele   (Salzburg)
7. Das Schloß   (Edinburg)
8. Die Kunstsammlungen   (Paris)

E Dative verbs — put into the plural

Example: Er gratuliert mir herzlich.
Sie gratulieren uns herzlich.

1. Ich helfe dir gern.
2. Dieses Buch gehört dem Lehrer.
3. Er folgte ihr.
4. Ich bin ihm auf der Straße begegnet.

5. Das Kleid paßt dir gut.
6. Er drohte mir ständig.
7. Sie glaubt ihm nicht.
8. Ich tue es, wenn er es mir befiehlt.

[handwritten margin notes: passen = to ... ; drohen = to threaten ; glauben = to believe ; befiehlen = to command]

F

Example: Könnte ich das von hier aus machen?
Jetzt nicht, aber früher hätten Sie das von hier aus machen können.
1. Sollte ich es ihm sagen?
2. Dürfte ich ihn anrufen?
3. Müßte ich eigentlich den ganzen Tag bleiben?
4. Könnte ich das hier kaufen?
5. Sollte ich ihr einen Brief schreiben?

G Rôle-playing

Play the part of Frau Schultze, who is giving Mr Heller a lift to Stuttgart airport.

HELLER	Es ist wirklich freundlich von Ihnen, mich zum Flughafen zu bringen; ich weiß kaum, wie ich Ihnen danken soll.
FRAU SCHULTZE	(*Tell him it's no trouble, you were driving past the airport anyway.*)
HELLER	Ich freue mich auf die Gelegenheit, Düsseldorf ein bißchen kennenzulernen.
FRAU SCHULTZE	(*Tell him he must see the old town and the Königsallee, which are both very beautiful.*) *die beide sehr schön sind.*
HELLER	Ich werde bestimmt ein Auto mieten, um die Stadt zu besichtigen und auch um durch das Ruhrgebiet zu fahren.
FRAU SCHULTZE	(*Say that he could have arranged the car hire from here and collected the car at Düsseldorf airport.*)
HELLER	Ich habe nicht daran gedacht, aber das macht nichts: das tue ich sofort bei der Ankunft.
FRAU SCHULTZE	(*Say that all the towns in the Ruhrgebiet are worth visiting, although the air in Duisburg and Oberhausen is very dirty.*)
HELLER	Das ist wegen der Stahlwerke, nicht? Ich habe gehört, die Luft habe geradezu eine rötliche Farbe!
FRAU SCHULTZE	(*Say it's on account of the heavy industry in the Ruhrgebiet that North Rhine Westphalia is one of the richest Länder in Germany.*)
HELLER	Dann müßte ich gute Absatzmöglichkeiten für meine Werkzeugmaschinen finden.
FRAU SCHULTZE	(*Only if the prices and delivery times are right, but he doesn't need you to tell him that.*)
HELLER	Das stimmt: meine Kunden sind sehr zufrieden mit der Qualität der

Waren, aber sie haben tatsächlich schlimme Erfahrungen mit unseren
Lieferzeiten gehabt: das müssen wir unbedingt verbessern.

FRAU SCHULTZE (*Wish him a successful business trip and all the best.*)

HELLER Gleichfalls, und noch einmal vielen Dank!

Ⓗ Guided conversation

With the help of the following information record or write a summary of the dialogue.

Herr Heller ist Frau Schultze sehr dankbar. (Wofür?) Er hätte sich sonst geängstigt.
(Warum?) Frau Schultze behauptet, es mache ihr keine Mühe. (Wieso?) Sie nennt einige
Ruhrgebietstädte. (Welche?) Herr Heller hat einen Termin für zwei Uhr. (Wozu?) Wie
wird er den Abend verbringen? Wie wird er am Düsseldorfer Flughafen abgeholt? Frau
Schultze empfiehlt Düsseldorf (Wofür?) und besonders die Königsallee. (Was für eine
Straße ist diese?) Herr Heller fühlt sich wie zu Hause, und freut sich auf weitere Besuche
in Deutschland.

GRAMMAR *Order of Adverbs*
Place Name Adjectives
Dative Verbs
Conditional Perfect Tense

1. If two or more adverbs or adverbial phrases occur in a sentence, they normally come
   in the following order: 1. TIME 2. MANNER 3. PLACE
   > Wir sollen direkt zum Büro fahren.
   > Er wird mich mit dem Wagen am Düsseldorfer Flughafen abholen.
   > Wir fahren morgen mit dem ersten Zug nach Stuttgart.

   Though shorter items may on occasion take priority:
   > Ich fange allmählich an, mich hier ganz zu Hause zu fühlen.

   If two adverbs of the same sort occur in a sentence, the more general precedes the
   more specific:
   > Ich bin heute um zwei Uhr zu einer Konferenz verabredet.

2. Adjectives can be formed from the names of cities etc. by adding —**er** to the place
   name. These adjectives always have a capital letter and are invariable, i.e. they do not
   decline:
   > am *Düsseldorfer* Flughafen
   > zur *Frankfurter* Messe
   > vom *Stuttgarter* Bahnhof

3. The following are the commonest verbs which govern the dative case: *befehlen,*
   begegnen, danken, drohen, einfallen, erlauben, folgen, gefallen, gehören, gelingen,
   gratulieren, glauben, helfen, passen, raten, verzeihen.

   > Ich wollte Ihnen nur raten.
   > Düsseldorf wird Ihnen bestimmt gefallen.
   > Ich weiß kaum, wie ich Ihnen danken soll.

4. The conditional perfect tense is most commonly formed with the imperfect
   subjunctive of the auxiliary plus the past participle:

   > Sonst *hätte* ich die ganze Nacht *befürchtet*, den Flug zu versäumen.
   > Ich *hätte* lieber mit Frau Schultze *gesprochen*.
   > Ich *wäre* lieber zu Hause *geblieben*.

   Note that instead of the past participle of a modal verb, the infinitive is used:

   > Das Auto hätten Sie von hier aus mieten *können*.

USEFUL EXPRESSIONS

erstens, zweitens, drittens, etc.	firstly, secondly, thirdly, etc.
ebenfalls and *gleichfalls*	both mean literally 'likewise', and are often used for reciprocating good wishes.

CHAPTER 8

Im Ruhrgebiet

FRAU LINDEN
: Also, willkommen in Duisburg, Herr Heller! Wie war die Fahrt von Düsseldorf?

HELLER
: Es hat ganz gut geklappt, danke, Frau Linden. Hoffentlich bin ich pünktlich.

FRAU LINDEN
: Zeitig sogar, was sehr günstig ist, denn Sie wollen durch das ganze Ruhrgebiet fahren, nicht? Ich soll sozusagen Ihre Reiseleiterin sein, oder so hat es mein Chef ausgedrückt.

HELLER
: Ich bin Ihnen dafür sehr verbunden. Ich möchte nämlich die Städte sehen, wo meine Kunden Zweigstellen haben, und diese liegen überall im Ruhrgebiet. Sollen wir in den Wagen einsteigen?

FRAU LINDEN
: Ich schlage also vor, daß wir von hier über Hamborn und Oberhausen nach Essen fahren um uns dort ein bißchen umzusehen. Dann über Gelsenkirchen nach Bochum und anschließend über Witten und Mülheim zurück nach Duisburg. Mehr kann man an einem Tag nicht schaffen.

HELLER
: Einverstanden. Sie müssen leider auch gewissermaßen meine Fahrlehrerin sein, denn ich bin mit deutschen Verkehrsverhältnissen nicht völlig vertraut. Also los!

FRAU LINDEN
: Jetzt alle Fenster zu und die Nase zuhalten! Wir fahren durch Oberhausen.

HELLER
: Ich glaube, alle Stahl-Städte sind so, wie bei uns in der Nähe von Sheffield.

FRAU LINDEN
: Wir haben den Ruhrschnellweg verlassen, um einen näheren Eindruck von den Vororten von Essen zu bekommen.

HELLER
: Ich habe dieses Verkehrsschild nicht verstanden: was bedeutet 'Anlieger frei'?

FRAU LINDEN
: Das heißt, nur die Bewohner der Häuser an dieser Straße dürfen hier parken.

HELLER
: Diese Stadtmitte finde ich wirklich imponierend, mit dem riesigen Park und den kolossalen Kaufhäusern, und alles so sauber! Essen gefällt mir sehr.

FRAU LINDEN
: Der Grugapark ist tatsächlich enorm. Sie werden Bochum vielleicht nicht so schön finden, aber zunächst fahren wir durch Gelsenkirchen, die Heimatstadt von Schalke 04.

HELLER	So, hier sind wir in Bochum. Das gigantische Gebäude drüben gefällt mir nicht so sehr.
FRAU LINDEN	Dieser ekelhafte Betonklotz ist die Universität. Das entspricht dem wunderlichen Geschmack der sechziger Jahre.
HELLER	Ich merke, daß viele Verkehrszeichen, die bei uns erst kürzlich eingeführt worden sind, hier schon jahrelang stehen. Es lebe die Standardisierung in der EG!
FRAU LINDEN	Sie fahren doch auf einer Landstraße, und hätten nicht so durch Witten und Mülheim rasen sollen!
HELLER	Ach, das ist nur meine Sehnsucht, mich wieder in Ihrem geliebten Duisburg zu befinden. Sehen Sie — hier ist die Salvatorkirche schon!

NOTES: 1. Essen has a well-merited reputation as a shopping centre (*Einkaufsstadt*).
2. Grugapark, named from the *Große Ruhrländische Gartenbau-Ausstellung* in 1929, for which the park was laid out. It contains the *Grugahalle*, which seats 10,000.
3. *Schalke 04* (pronounced *null vier)*, one of the most renowned German football teams, is based in Gelsenkirchen.
4. *Salvatorkirche*: a celebrated old evangelical church in the centre of Duisburg.

Ⓐ Answer in German

1. Wo befindet sich Herr Heller am Anfang des Textes?
2. Von wo aus ist er dorthin gefahren?
3. Wohin will er jetzt fahren?
4. Welche Route schlägt Frau Linden vor?
5. Warum ist es ratsam, sich in Oberhausen die Nase zuzuhalten?
6. Ist dieses Phänomen in England unbekannt?
7. Was steht auf dem Verkehrsschild, das Herr Heller nicht versteht?
8. Welchen Eindruck hat Herr Heller von der Essener Stadtmitte?
9. Welches ist das auffallendste Gebäude in Bochum?
10. Warum sieht man dieselben Verkehrszeichen in Großbritannien und Deutschland?
11. Wie fährt Herr Heller durch Witten und Mülheim?
12. Wie heißt die Hauptkirche von Duisburg?

Ⓑ Translate into German

1. It worked out quite well.
2. That's the way my boss put it.
3. I'm much obliged to you for that.
4. That's as much as one can manage in a day.
5. He'll have to be my teacher to some extent.
6. We want to get a closer impression of the suburbs.

7. I'm not so keen on that building.
8. That reflects the weird ideas of the sixties.
9. You shouldn't have roared through Essen like that.
10. We are driving via Dortmund to Hamm.

Example: Wir fahren nach Essen. Wir sehen uns dort ein bißchen um.
   Wir fahren nach Essen, um uns dort ein bißchen umzusehen.

1. Wir verlassen den Ruhrschnellweg. Wir bekommen einen näheren Eindruck von den Vororten.
2. Wir fahren nach Gelsenkirchen. Wir sehen Schalke 04 spielen.
3. Er wohnt in Bochum. Er studiert dort an der Universität.
4. Sie ist heute in Duisburg. Sie besucht ein Konzert in der Salvatorkirche.
5. Sie gehen um zehn Uhr ins Büro. Sie sprechen mit Herrn Zehnpfennig.

D Replace the dash by the appropriate German form of the pronoun given in brackets

1. Das ist — völlig fremd. (me)
2. Ich stehe — zur Verfügung. (you)
3. Er ist — sehr dankbar. (her)
4. Sie bleibt — immer treu. (him)
5. Wir sind — sehr verbunden. (you)
6. Der Mann ist — bekannnt. (me)

E Rewrite, changing the verb into the tense indicated

1. Wie war die Fahrt von Düsseldorf? (Perfect)
2. Sie wollen durch das ganze Ruhrgebiet fahren. (Imperfect)
3. So hat es mein Chef ausgedrückt. (Pluperfect)
4. Ich schlage vor, daß wir nach Essen fahren. (Future)
5. Mehr können wir an einem Tag nicht schaffen. (Perfect)
6. Wir haben den Ruhrschnellweg verlassen. (Present)
7. Ich habe dieses Verkehrsschild nicht verstanden. (Imperfect)
8. Nur die Bewohner der Häuser an dieser Straße dürfen hier parken. (Future)
9. Sie werden Bochum nicht so schön finden. (Perfect)
10. Zunächst fahren wir durch die Heimatstadt von Schalke 04. (Pluperfect)
11. Sie hätten nicht so durch Witten rasen sollen. (Present)
12. Sie fahren doch auf einer Landstraße. (Imperfect)

F Translate into German

1. I should have had to wait two hours.
2. In the first place he can't swim, in the second place it is much too cold.
3. We are eating in the old town and going on to the cinema.
4. I'm not bothered about that eccentric old man.
5. I am glad to be in your beloved country again.
6. Will you allow me to congratulate you?
7. He is going to Hamburg this morning by train.
8. They are coming with me in order to see my car.
9. I am surprised that you don't know him already.
10. I should like to travel by the overhead railway in Wuppertal.

G Rôle-playing

Play the rôle of Frau Linden in the following dialogue; she is to guide Herr Heller on a tour by car of the Ruhrgebiet.

FRAU LINDEN	(*Welcome him to Duisburg and ask him how his journey from Düsseldorf was.*)
HELLER	Sehr bequem, danke. Hoffentlich haben Sie nicht auf mich warten müssen.
FRAU LINDEN	(*No, he is very punctual. You are to be his guide through the whole Ruhrgebiet, your boss has told you.*)
HELLER	Ich bin Ihnen dafür sehr verbunden. Welche Städte werden wir sehen?
FRAU LINDEN	(*You suggest driving via Oberhausen to Essen, then via Gelsenkirchen to Bochum and thereafter via Witten back to Duisburg.*)
HELLER	Was gibt es denn in Essen zu sehen?
FRAU LINDEN	(*There's a huge park called the Grugapark, and Essen is a very good town for shopping.*)
HELLER	Na schön, und weswegen ist Gelsenkirchen berühmt?
FRAU LINDEN	(*Chiefly for its football team, Schalke 04, but anyway you're just driving past it.*)
HELLER	Was werden wir dann in Bochum sehen?
FRAU LINDEN	(*Above all the university, the largest concrete building you've ever seen.*)
HELLER	Dortmund und Wuppertal werden wir also nicht sehen? Ich wäre gern einmal mit der Schwebebahn gefahren.
FRAU LINDEN	(*That must wait for his next visit.*)

H Guided conversation

With the help of the following information record or write a summary of the dialogue:

Frau Linden begrüßt Herrn Heller und bestätigt, daß sie ihn durch das Ruhrgebiet begleiten wird. (Wer hat ihr diesen Auftrag gegeben?) Sie schlägt eine Route vor. (Durch welche Städte?) Herr Heller bedankt sich und erklärt, warum er diese Rundfahrt machen möchte. (Welches Verkehrsschild ist ihm unbekannt? Was bedeutet es?) Essen gefällt ihm (Was beeindruckt ihn?), Bochum aber nicht. (Was findet er häßlich?) Er ist froh, wieder in Duisburg zu sein. (Welches Gebäude erkennt er?)

GRAMMAR *Perfect and Imperfect Dative Adjectives*

1. Note the greater frequency of the perfect tense in the dialogue:
   > Das hat ganz gut geklappt.
   > Wir haben den Ruhrschnellweg verlassen.
   > Ich habe dieses Verkehrsschild nicht verstanden.
   > Verkehrszeichen, die bei uns erst kürzlich eingeführt worden sind.

   It must be stressed that, although the imperfect is more used in northern Germany than in southern areas, the perfect is the predominant past tense of German conversation.

2. Many adjectives are used with the dative case, and normally follow the dative noun or pronoun dependent on them. The commonest of these are: *bekannt, dankbar, fremd, gleich, nah (e), schuldig, treu, willkommen, verbunden* — likewise *unbekannt, undankbar, untreu* etc.
   > Dieses Verkehrsschild ist mir unbekannt.
   > ich bin Ihnen dafür sehr verbunden.
   > Er war ihr sehr dankbar.
   > Sie war dem Weinen nahe.

USEFUL EXPRESSIONS

wunderlich	strange, odd, eccentric. Not to be confused with *wunderbar* and *wundervoll*, which both mean wonderful, marvellous. Note also *sich wundern (über etwas)* to be astonished, and the impersonal expression *es wundert mich, daß* . . . for 'I am surprised that . . .'
anschließend	following, next, adjacent, then, thereafter. Used of contiguity in space or time: a useful word which English lacks: *Anschließend gingen wir ins Theater.* *Eine Schule mit anschließendem Sportplatz.*

CHAPTER 9

Geschäftsbriefe

Heller has returned to England, and is sitting at his desk reading an invitation to tender. The technical specifications and drawings are attached. He puts the papers down and buzzes for his secretary.

FRÄULEIN ADAMS	Ja, bitte, Herr Heller.
HELLER	Fräulein Adams, kommen Sie bitte zu mir herein. Ich möchte einen Brief auf deutsch diktieren.
FRÄULEIN ADAMS	Einen Augenblick bitte, Herr Heller. Ich hol' mal meinen Block und meinen Bleistift.
HELLER	So — zum Schreiben bereit?
FRÄULEIN ADAMS	Ja.

„Brigsley, wir benutzen kein Tip-ex auf den Bildschirmen."

HELLER	Gut. Fangen wir an . . .

Betr.: Anfrage Nummer 132102 vom 18.03.92

Sehr geehrte Herren,

wir danken Ihnen für Ihr obiges Schreiben und bitten, die verspätete Antwort zu entschuldigen.

Wir müssen Ihnen leider mitteilen, daß wir nach eingehender Prüfung Ihrer technischen Unterlagen zur Zeit keine Möglichkeit sehen, die von Ihnen verlangten Hängewaagen zu liefern, da diese Maschinen völlig außerhalb unseres Herstellungsprogramms liegen.

Unser Produktprogramm sieht als Basis Werkzeugmaschinen im weitesten Sinne vor, und das geschäftspolitische Ziel plant für die Zukunft keine Veränderung. Wir haben deshalb das uns nahestehende Werk William Johnson & Sons gebeten, Ihnen ein entsprechendes Angebot zu unterbreiten.

Wir bitten um Verständnis, daß wir bei dieser Gelegenheit keine Angebote machen können und bedauern, Ihnen keinen günstigeren Bescheid geben zu können.

Zu Ihrer Orientierung übersenden wir Ihnen unseren illustrierten Prospekt. Sollten sich auf diesem Gebiete Kontaktpunkte ergeben, so erbitten wir Ihre geschätzte Anfrage.

Mit freundlichen Grüßen

(P. Heller)

Anlagen

HELLER	So, das wär's.
FRÄULEIN ADAMS	Wieviel Durchschläge?
HELLER	Vier, wie üblich.
FRÄULEIN ADAMS	Soll ich Ihnen den Brief noch vorlesen?
HELLER	Nicht nötig. Jetzt aber möcht' ich für die nächste Stunde nicht gestört werden. Geben Sie mir nur dringende Ferngespräche durch.

Apart from the convenience, it makes sense in legal terms to write in one's own language. Without doubt, many English firms will receive letters in German. Here are some examples of German business letters.

Letter (a) *Anfrage (Angebotsanforderung)*

Sehr geehrte Herren,

wir sind Wiederverkäufer und bitten um Angebote für folgende
Tischpressen unter Zugrundelegung des äußersten Preises und der
kürzesten Lieferzeit:
Tischpressen: 5 Stück Druckleistung 2000 N
                       5 Stück Druckleistung 60000 N
Sollten Sie als Hersteller bzw. Lieferant nicht infrage kommen, so
wären wir Ihnen für die Nennung einer Ihnen bekannten
Bezugsquelle dankbar. Abbildungen und Beschreibungen erbitten wir
2fach.

Dem Eingang Ihrer ausführlichen Offerte sehen wir mit Interesse
entgegen.

Mit freundlichen Grüßen

Letter (b) *Angebot*

Betr.: Tischpressen — Ihre Anfrage Nr. 1476 vom 23.05.93

Sehr geehrte Herren,

wir bestätigen dankend den Erhalt Ihres obigen Schreibens und
unterbreiten Ihnen auf Ihre Anfrage folgendes Angebot:
1.   5 Stück Druckleistung 2000N DM 5600 ohne MwSt.
        5 Stück Druckleistung 60000 DM 7200 ohne MwSt.
2.   Lieferzeit: 8 bis 10 Wochen nach Auftragsempfang.
3.   Verpackung: wird zu Selbstkosten berechnet.
4.   Zahlung:2% Skonto. Innerhalb 30 Tagen netto.
5.   Bindefrist: Diese Preise gelten bis Bestellung 30.06.93

Mit freundlichen Grüßen

Letter (c) *Auftrag*

When an order is placed, it is invariably by means of a printed order form, an example of
which is shown on page 54.

ALFA-LAVAL
AGRAR GMBH

ALFA-LAVAL Agrar GmbH · Postfach 800 140 · 2050 Hamburg 80

Bitte beachten:
Ihre Rechnung können wir nur bezahlen, wenn Sie unsere Auftragsnummer sowie unsere Gegenstands- nummer auf Ihrer Rechnung und Ihren Versandpapieren vermerken. Der Sendung ist unbedingt ein Liefer- schein beizufügen.

Fa. Salter Industrial Measurement
Limited Export Division
George Street
West Bromwich
West Midlands
B 70 6 AD
England

Telefon: 0 40 / 72701 · 1
Telex: 21 7885 alfa d
Telegramm-Adresse: Alfalaval Hamburg
Postscheckkonto Hamburg 627 · 200
(BLZ 200 100 20)
Bankkonten Deutsche Bank AG Kto 55/00087
(BLZ 200 700 00)
Deutsche Union-Bank, Frankfurt/M
Kto 00/13000005 (BLZ 500 206 00)

	76130 / 63400			
Auftrag Nr. 1689 M4 (In Lieferschein und Rechnung wiederholen)	Best.-Woche 50.84	Liefer-Woche 4.85	2050 HAMBURG 80 13.12.84 Dar/Ws	
M 07 Bezeichnung	Gegenstands-Nr	Menge	Einzel-Preis	
Zeigerwaage Mod. 235 Ø 152 mm / 6" 25 kg x 100 g kpl. mit Haken	4031	25	14.60	

Lager	Versand an unsere Anschrift: Alfa-Laval Agrar GmbH
	Liebigstr. 4, 2057 Reinbek
	Fracht-und Expreßgutstation: 2050 Hamburg-Bergedorf
	Vorstehende Preise verstehen sich
	Zahlbar innerhalb von __14__ Tagen mit __2__ % _____ Skonto nach Erhalt der Rechnung und der Ware

Rechnung in dreifacher Ausfertigung erbeten!   ALFA-LAVAL Agrar GmbH

On the other hand, some tenders are not acceptable:

Letter (d) *Die Waren werden nicht bestellt.*

Sehr geehrte Herren,

für Ihr Schreiben vom 31.05.93 und für die uns damit zugesandten Fotokopien Ihres Angebotes vom 25.05.93, sowie Ihres Begleit-schreibens dazu danken wir Ihnen vielmals. Angesichts des genannten Preises sehen wir keine Absatzmöglichkeit für die uns angebotenen Tischpressen. Bitte betrachten Sie die Angelegenheit deshalb als erledigt.

Mit freundlichen Grüßen

Letter (e) When a bill becomes overdue, it might be necessary to write a '*Mahnung*':

Betr.: Unsere Rechnung FD 6717 vom 30.08.93

Sehr geehrte Herren,

wahrscheinlich ist es Ihrer Aufmerksamkeit entgangen, daß unsere Rechnung noch nicht beglichen ist. Wir bitten Sie daher, den Betrag freundlichst bis zum 30.10.93 zu überweisen, wenn Sie dieses noch nicht veranlaßt haben.

Mit freundlichen Grüßen

to which you could get in reply: Letter (f)

Sehr geehrte Herren!

Ich bestätige den Erhalt Ihres Schreibens vom 15.09.93 und muß Ihnen zu meinem Bedauern mitteilen, daß entweder Ihrer Buchhaltung oder Ihrer Bank ein Fehler unterlaufen ist. Ihr Wechsel wurde am 13.09.93 bei der Länderbank eingelöst und am 15.09.93 an Ihre Bank weitergeleitet und von meinem Konto abgebucht. Fotokopien darüber lege ich bei. Ich kann mir nicht vorstellen, daß eine Überweisung 6 Wochen unterwegs ist.

Hochachtungsvoll

Finally, two examples of the sort of day-to-day letter an English company could get from their German or Austrian agent:

Letter (g)

Sehr geehrte Herren,

wir hatten Sie gebeten, uns eine Exportliste in DM zu schicken. Leider haben wir nur eine englische Liste von Ihnen bekommen. Wir möchten Sie nun deshalb nochmals ersuchen, uns eine Exportliste in DM zu schicken, da dies für uns übersichtlicher ist.

Im voraus besten Dank

Letter (h) A gentle complaint/reminder from an agent:

Sehr geehrte Herren,

mit Ihrem Schreiben vom 12.5.93 teilen Sie mir mit, daß Ersatzteilaufträge die richtigen Bestandteilnummern aufweisen müssen. Meiner Meinung nach wäre hierfür eine Bestandteilliste erforderlich, und ich bitte Sie, mir eine solche zu übersenden. Ich habe bisher nie eine solche Liste erhalten.

Hinsichtlich der elektronischen Erzeugnisse besteht sicherlich Interesse und Bedarf, jedoch müßte man ein solches Gerät sehen können. Die Prospekte allein geben zu wenig Information über die Leistungen. Teilen Sie mir bitte mit, ob Sie im kommenden Jahr in Europa auf einer Messe vertreten sind, wo man diese Geräte genau besichtigen kann.

Mit freundlichen Grüßen

1		50°
2		
3		↓
4		
5	(unser) Name	Hamburg, d. 07.03.93
6	Straße + Hausnummer	
7	Postleitzahl + Ort	
8	Tel. (040) 43 25 16	
9	4x schalten	
10		
11		
12		
13	3x Anschriftenfeld	
14		
15	Firma	immer
16	J Bachmann	insgesamt
17	Straße	9 Zeilen
18		
19	Stadt	
20		
21	3x schalten	
22		
23		
24	Betr.: Ihr Schreiben Nr. — vom —	
25	3x schalten	
26		
27		
28	Sehr geehrte Damen und Herren! (groß weiter; wenn Komma: klein weiter)	
29	2x schalten	
30	Text — beginnt am Zeilenanfang, nicht wie im Englischen eingeschoben	
50	Textende	
51	2x schalten	
52	Mit freundlichen Grüßen	
53	2x schalten	
54	Firma J. Bachmann	
55	4x schalten	
56		
57	Raum für Unterschrift	
58		
59	(manchmal wird in Klammern der Name getippt, weil Unterschriften oft unleserlich sind.)	
60	6x schalten	
61		
62		
63		
64		
65	Anlagen	
66	1 Fotokopie	
67	1 Vertrag 3fach	
68		

Some notes on the lay-out of business letters:

1. The letter-head normally contains the name of the company, its legal form (e.g. GmbH, AG) and the nature of the company's business. Additionally one usually finds the full postal address, telephone number and, if applicable, fax and telex number and telegraphic address.

2. The addressee block stands at the beginning of the letter on the left-hand side. In German addressee usage is changing; traditionally the postcode and town preceded the street and house number, e.g.

    5138 Heinsberg/Rhld.
    Oberbrucherstraße 67

    but it becoming usual to write the street name and number before the *Postleitzahl* and town.

3. The normal modes of address are: *Sehr geehrter Herr, Sehr geehrte Herren, Sehr geehrte Damen und Herren, Sehr gnädige Frau; Sehr geehrte Damen und Herren* is much more used nowadays as a normal form.

4. The body of the letter (see examples in this chapter) — German business letters tend to be short and to the point. There is no long-winded preamble and they go straight to the theme of the letter.

5. The letter concludes with phrases such as '*mit freundlichen Grüßen*', '*Hochachtungsvoll*, '*mit vorzüglicher Hochachtung*' (though the latter two are rather old-fashioned). No long-winded concluding remarks are used or expected.

6. The subscription block consists of the name of the company and the authorised person's signature. In large companies it is usual for letters to have two signatories. Those authorised to sign on behalf of the company usually prefix their signature with *i.V. (in Vertretung)* or *i.A. (im Auftrag)*.

Ⓐ Answer in German

1. Warum hat Herr Heller Fräulein Adams zu sich hereinkommen lassen?
2. Was muß Fraülein Adams holen, ehe sie das Diktat aufnehmen kann?
3. Weshalb entschuldigt sich Herr Heller in dem Brief?
4. Warum kann er keine Angebote machen?
5. Was wird in Herrn Hellers Fabrik hergestellt?
6. Hätten Sie einen so langen Brief geschrieben?
7. Würden Sie ganz kurz schreiben, daß Sie diesen Auftrag leider nicht erfüllen können?
8. Hätten Sie die Anfrage weitergegeben? Warum?/Warum nicht?
9. Nehmen Sie öfters Diktate auf, oder spricht Ihr Chef ins Diktiergerät hinein?

Ⓑ Translate into German

1. Unfortunately I have to inform you . . .
2. We would therefore ask for your understanding . . .
3. I want to have a notepad and pencil.

  4. I don't have a notepad and pencil.
  5. On this occasion we are unable to tender.
  6. For your information . . .
  7. We regret not being able to give you a more satisfactory answer.
  8. Please read back to me the text of the letter.
  9. How many copies do you require?
 10. I do not wish to be disturbed.
 11. Put through only urgent calls.
 12. With reference to your esteemed enquiry.

ⓒ Prepare a quotation in German

You have received an enquiry for 25 milling machines (*die Fräsemaschine*). Prepare a quotation in German stating the price per unit, package and delivery, terms of payment and validity.

ⓓ Write a letter for your boss's signature

He wants to stay at the hotel '*Altes Brauhaus*' in Lippstadt. The address is *Rathausstraße* and the postcode for *Lippstadt* is 4748. You have already discovered by telephone that the hotel can accommodate your boss, and you are now writing to confirm the booking of a single room with shower for the nights of the 5th and 6th of this month.

ⓔ Write an invitation to tender

Your boss is considering buying a craneweigher for use in his factory, and saw some he liked at an exhibition in Germany. You are to write an invitation to tender. Send the enquiry to *Toledo-Werk GmbH* in Cologne (postcode 5000) at *Stolbergerstr.* 7. You obviously want to know the price, but you are also interested in delivery times, packaging, payment terms (including any discount) and warranty. You should also ask for technical drawings, data sheets and operating manuals.

ⓕ Your boss has just dictated in English for your translation into German

Dear Sir,

Thank you for your letter of 18.03.93 together with your tender. Considering the delivery time you quote, we can see no possibility of satisfying our customer, and must therefore inform you that we cannot proceed with your offer. Please consider the matter closed.

Yours faithfully,

⑤ Explain in German

1. Ich danke Ihnen für Ihr obiges Schreiben.
2. Nach eingehender Prüfung.
3. Keinen günstigeren Bescheid geben zu können.
4. Zu Ihrer Orientierung übersenden wir unseren Prospekt.
5. Geben Sie mir nur dringende Ferngespräche durch.

⑪ Rôle-playing

Play the part of Fräulein Adams in the following dialogue

HELLER	Fräulein Adams, kommen Sie bitte zu mir herein!
FRÄULEIN ADAMS	*(Straightaway, Mr Heller. I'll just get my pad and pencil.)*
HELLER	Ich muß nach Frankfurt. Besorgen Sie mir bitte einen Flugschein sowie ein Hotelzimmer.
FRÄULEIN ADAMS	*(When does he want to fly to Frankfurt, and how long does he intend to stay?)*
HELLER	Ich habe vor, Montag früh abzufliegen. Donnerstag vormittag muß ich auf jeden Fall wieder hier im Büro sein.
FRÄULEIN ADAMS	*(That will be three nights away. Would he like to stay in the same hotel as last time? What was it called? 'Zum roten Bären'?)*
HELLER	Ja, es war sehr bequem und lag günstig in der Stadtmitte. Da kann man auch gut essen.
FRÄULEIN ADAMS	*(How is he getting to the airport and back? Should you arrange for someone to drive him?)*
HELLER	Danke. Ich fahre mit Herrn Bartel. Er bringt mich zum Flughafen. Donnerstag holt mich meine Frau ab.
FRÄULEIN ADAMS	*(Yes Mr Heller. Tell him not to forget that he has a luncheon appointment with Mr Bernard. You have booked a table at the 'Golden Lion'.)*

▮ USEFUL EXPRESSIONS ▮ *Some abbreviations found in business letters:*

abs.	*Absender*	(sender)
b.w.	*bitte wenden*	(please turn over)
DIN	*Deutsche Industrie-Norm*	(cf. BS in English)
Gebr.	*Gebrüder*	(Bros.)
gegr.	*gegründet*	(founded)
MwSt.	*Mehrwertsteuer* (also MWS)	(Value Added Tax)
z.H.	*zu Händen*	(for the attention of)

CHAPTER 10

Urlaubspläne

Heller and his wife are planning a holiday together.

HELLER — Ich habe eine Menge Prospekte vom Reisebüro mitgebracht. Sollen wir zusammen unseren Urlaub in Deutschland planen?

FRAU HELLER — Gerne — ich freue mich so darauf. Was hast du denn da?

HELLER — Na, mal sehen: Prospekte über das Rheinland, Westfalen und das Sauerland, Ostfriesland, den Schwarzald, Bayern, das Harzgebirge und über zwanzig mehr — ich glaube, aus allen Bundesländern. Alles hängt davon ab, welches Gebiet du vorziehen würdest.

FRAU HELLER — Was würdest du vorschlagen? Du kennst ja schon Frankfurt, Stuttgart, Düsseldorf und so weiter. Du weißt besser Bescheid als ich. Wohin möchtest du am liebsten fahren?

HELLER — Also lieber nicht in diese Halbmillionenstädte: einen Urlaub würden wir besser in einer Kleinstadt genießen, oder vielleicht auf dem Lande, wenn du willst.

FRAU HELLER — Oder könnten wir die neuen Bundesländer besuchen? Dresden möchte ich gern sehen.

HELLER — Na klar, und in Ostdeutschland sind wunderbare mittelalterliche Kleinstädte wie Quedlinburg, Wernigerode und Stolberg. Jetzt gibt es für Touristen keine komische Währungsvorschriften mehr wie z.B. Zwangsumtausch.

FRAU HELLER — Hier ist ein Prospekt mit dem Titel 'Die Romantische Straße'. Das klingt schön.

HELLER — Barbara, du hast immer die besten Einfälle! Das wäre ganz prima: wir könnten den Schwarzald besuchen, und Würzburg und Rothenburg ob der Tauber — ja, ich würde mich sehr gern für die Romantische Straße entscheiden, da hast du gut gewählt.

FRAU HELLER — Ich habe gar nichts gewählt, erkläre doch mal, was diese Romantische Straße ist.

HELLER — Das ist eine szenische Route zwischen Würzburg und Füssen, dreihundertfünfzig Kilometer insgesamt, aber mit Übernachtungen, zum Beispiel, in Rothenburg, Dinkelsbühl, Augsburg und Füssen, braucht man mindestens eine Woche dafür, dann könnten wir weiter nach Süden ziehen und etwas mehr von Bayern sehen.

FRAU HELLER — Wenn wir mit unserem eigenen Wagen fahren, anstatt erst dort ein

Auto zu mieten, dann können wir durch das Rheintal fahren: das wäre auch schön, Peter.

HELLER Nun, wenn wir mehr Geld hätten, würden wir die Rheinfahrt mit unserem eigenen Boot machen . . . aber du hast recht, es würde sich vielleicht lohnen, den Wagen mitzunehmen. Wir werden darüber nachdenken und es später besprechen, wenn ich von München zurückkomme. Ich besuche nämlich den Winklhuber, den ich in Frankfurt kennengelernt habe.

NOTE: the word *Großstadt* means a town of more than 100,000 inhabitants. The word *Halbmillionenstadt* is of more recent coinage. Germany has thirteen of these, as follows (population in brackets — figures published by the Statistisches Bundesamt 1990):

Berlin	3,400,000	Frankfurt	623,700	Stuttgart	560,100
Hamburg	1,597,500	Essen	620,000	Bremen	533,800
München	1,206,400	Dortmund	584,600	Leipzig	530,000
Köln	934,400	Düsseldorf	564,400	Duisburg	525,100
				Dresden	501,400

Ⓐ Answer in German

1. Was hat Heller nach Hause mitgebracht?
2. Worüber geben die Reiseprospekte Auskunft?
3. Wieso weiß Heller besser Bescheid als seine Frau?
4. Warum möchte Frau Heller vielleicht die neuen Bundesländer besuchen?
5. Warum ist es jetzt leichter, diese Bundesländer zu besuchen?
6. Wie heißt der Prospekt, den Frau Heller in die Hand nimmt?
7. Was denkt Heller darüber?
8. Wie beschreibt Heller die Romantische Straße?
9. Wo könnten sie auf dieser Route übernachten?
10. Welches andere Gebiet können sie sehen, wenn sie den Wagen mitnehmen?

Ⓑ Translate into German

1. A load of pamphlets.
2. Everything depends on that.
3. What would you suggest?
4. You know better than I.
5. In the country.
6. One needs at least a week.
7. Perhaps it might be worth while.
8. We'll think about it.
9. I'm so looking forward to it.
10. Four hundred kilometres altogether.

C Rewrite in the conditional

1. Welches Gebiet wirst du vorziehen?
2. Was schlägst du vor?
3. Das war ganz prima!
4. Einen Urlaub werden wir besser in einer Kleinstadt genießen.
5. Das ist auch schön.
6. Ich entschließe mich sehr gern dafür.

D Translate into German, sprinkling as you see fit 'denn', 'doch', 'ja', 'mal,' 'nämlich'

1. What was your name again?
2. That's a pity, of course.
3. Just look!
4. The factory is next to the station, you see.
5. But just explain!
6. You already know Frankfurt, of course.
7. But you're driving on a motorway!
8. The emperor used to be crowned here, you see.

E Word order – rewrite, placing the words in italics at the beginning of the sentence

1. Einen Urlaub würden wir besser *in einer Kleinstadt* genießen.
2. Ich glaube, *aus allen Bundesländern*.
3. Dresden möchte *ich* gern sehen.
4. Glücklicherweise gibt es keine komische Währungsvorschriften mehr *für Touristen*.
5. Das klingt *schön*.
6. Ich würde mich sehr gern *für die Romantische Straße* entscheiden.
7. Wir könnten *den Schwarzwald* besuchen.
8. Wir werden *darüber* nachdenken.

F Conditional clauses – put into the conditional tense

Example: Wenn wir mehr Geld haben, werden wir die Rheinfahrt mit unserem eigenen Boot machen.

Wenn wir mehr Geld hätten, würden wir die Rheinfahrt mit unserem eigenen Boot machen.

1. Wenn wir mit unserem eigenen Wagen fahren, können wir durch das Rheintal fahren.

2. Wenn sie mit uns kommen können, werden wir immer noch Platz haben.
3. Ich werde dir helfen, wenn ich Zeit habe.
4. Wenn sie mir heute schreibt, werde ich den Brief morgen bekommen.
5. Er kann uns das Geld geben, wenn sein Vater es erlaubt.

Ⓖ Rôle-playing

Play the part of Heller in the following dialogue; you are discussing your holiday.

HELLER	*(Tell your wife you have brought some brochures from the travel agency.)*
FRAU HELLER	Schön — dann können wir unseren Urlaub planen; wohin sollen wir fahren?
HELLER	*(Ask which she would prefer between the Rhineland, Westphalia, the Black Forest and Bavaria.)*
FRAU HELLER	Ich hätte gern die neuen Bundesländer besucht. Ist das möglich?
HELLER	*(Of course it is possible, and there aren't the difficulties there used to be.)*
FRAU HELLER	Wie wäre es, wenn wir diese Romantische Straße kennenlernen wollten?
HELLER	*(That would be a good idea — you could visit the Black Forest and Bavaria.)*
FRAU HELLER	Und wo würden wir dort übernachten? Ich würde gern einen kurzen Aufenthalt in Augsburg haben.
HELLER	*(Yes, you could spend two nights in Augsburg, and it would be worth while spending two nights in Füssen too.)*
FRAU HELLER	So? Was gibt es denn in Füssen zu sehen? Ich habe nie davon gehört.
HELLER	*(It is only four kilometres from the castle of Neuschwanstein — she has surely heard of that.)*
FRAU HELLER	Ach, Ludwig II und so: was für ein Quatsch! Das hat mit dem heutigen Deutschland gar nichts zu tun! Warum willst du das sehen?
HELLER	*(It is simply beautiful. Does one need any other reason?)*

Ⓗ Guided conversation

With the help of the following information record or write a summary of the dialogue:

Heller erklärt seiner Frau, welche Reiseprospekte er nach Hause gebracht hat, (Wo hat er sie gefunden?) und fragt sie, wo sie am liebsten ihren Urlaub verbringen möchte. Sie schlägt die neuen Bundesländer vor. (Was ist da besonders schön? Welche Städte werden genannt?) Sie erwähnt die Romantische Straße, und Heller ist davon begeistert. (Warum?) Er nennt einige Orte, wo man übernachten könnte (Welche?), und empfiehlt eine weitere Strecke nach der Romantischen Straße. (Wohin?) Frau Heller glaubt, daß es sich lohnen würde, den Wagen mitzunehmen (Warum?), und Heller verspricht, diesen Vorschlag später zu überlegen.

❶ Translate into German

Unfortunately I have no time at the moment, because I have an appointment at eleven o'clock. This is important, and I need to spend the whole day there. Afterwards I shall go straight to the hotel. If you could pick me up at seven-thirty, I should be much obliged to you.

Perhaps we could have a look round the town centre before dinner? I know we cannot manage everything in one evening, but perhaps I can get an impression of the place. I don't know when I shall be back in your beautiful country again, and I simply must have a ride on the overhead railway in Wuppertal before I go home.

I am determined to come back here for a holiday. I have all kinds of brochures and pamphlets. In particular I should like to drive down the Rhine valley from Cologne to Koblenz. If I had the chance, I should go on the Rhine steamer in October. My wife and I both love German wine.

GRAMMAR   *Particles*
Conditional Sentences

1. As Hammer so forcefully puts it in his excellent *German Grammar and Usage*: 'Colloquial German stands or falls by an ample scattering of *denn, doch, ja, mal, schon, so*, etc., without which it sounds bleak and impersonal.' These words are exceedingly difficult to translate, and often supply the sentence with a tone which in English is communicated purely by the intonation and so exists only in the spoken and not in the written language. The student can acquire skill in their use only by noting every occurrence and thus developing his feeling for the language (*Sprachgefühl*). Other particles include *aber, eben, gar, nämlich* and *wohl* — see also earlier chapters.

Was hast du denn da!   Das läßt sich schon machen.
Wer sind denn Ihre Kunden?   Das ist aber nett von Ihnen.
Die Zeil ist doch die Hauptgeschäftsstraße.   Ich habe gar nichts gewählt.
Diese Fußgängerzone ist ja etwas Einmaliges.   mal sehen!
Das ist eben ein großer Vorteil von Frankfurt.   Ist Frau Schultze wohl im Hause?
Unsere Konstruktionsabteilung ist nämlich stark beansprucht.
Soll ich Freitag mal wieder vorbeikommen?

2. In conditional sentences, if the condition is an open one (identifiable by containing no 'would' or 'would have'), then both verbs will be in the indicative:
Wenn wir mit unserem eigenen Wagen fahren, dann können wir durch das Rheintal fahren.

If the condition is an improbable one (signified by 'would'), then the '*wenn*' clause will be in the imperfect subjunctive, and the main clause in the conditional or in the imperfect subjunctive:
Wenn wir mehr Geld hätten, würden wir die Rheinfahrt mit unserem eigenen Boot machen.
Wenn ich mit Frau Schultze sprechen wollte, könnte ich sie anrufen.

If the condition is an impossible one (signified by 'would have'), then the '*wenn*' clause will be in the pluperfect subjunctive, and the main clause in the pluperfect subjunctive or in the conditional perfect:
Wenn wir letztes Jahr gekommen wären, hätten wir es gesehen (or würden wir es gesehen haben).

USEFUL EXPRESSIONS

Bescheid	Information. *Bescheid wissen* is to be informed, or in English slang 'to know the score'; *Bescheid sagen* is to inform, as in '*Ich werde Ihnen rechtzeitig Bescheid sagen*', and *Bescheid geben* is to tell, let someone know, instruct. In legal contexts *der Bescheid* means decision, as in '*einen amtlichen Bescheid abwarten*', '*ein vorläufiger/endgültiger Bescheid.*'
abhängen	to depend: *Das hängt ganz von Ihnen ab* — that depends entirely on you. Note also *(un)abhängig* — (in)dependent.
Einfall	a sudden idea: *Das ist ein glücklicher Einfall*. Note also the verb *einfallen*: *Es fällt mir gerade ein, daß* . . . The thought has just struck me that; *Das wäre mir nie eingefallen* That would never have occurred to me.

CHAPTER 11

München

HERR WINKLHUBER	Herr Heller! Ich hab' Sie sogleich wiedererkannt. Willkommen in München!
HELLER	Grüß Gott, Herr Winklhuber — das sagt man in Bayern, nicht wahr?
HERR WINKLHUBER	Freilich, das ist bei uns üblich, übrigens ist es auch in Österreich geläufig. Wenn ich micht recht erinnere, war Frankfurt Ihr erster Besuch in Deutschland: Sie machen doch vortreffliche Fortschritte mit unserer Sprache.
HELLER	Ich bin nämlich davon begeistert und habe in den letzten Monaten tüchtig daran gearbeitet. Dieser Aufenthalt in München war ein guter Anreiz.
HERR WINKLHUBER	Sie finden uns im Wahlfieber, haben Sie die Plakate bemerkt?
HELLER	Ja, wir werden hier überall von riesigen mir unbekannten Gesichtern angelächelt.
HERR WINKLHUBER	Der Wahlkampf ist schon seit Monaten in Gange: die Landeswahl findet nächsten Sonntag statt.
HELLER	Und wer wird gewinnen? Ich weiß nichts von der bayrischen Politik!
HERR WINKLHUBER	Zweifellos die CSU — das ist die Christlich-Soziale Union, eine konfessionelle Partei; Bayern ist nämlich ein streng katholisches Land. Im Bundestag ist die CSU fast ein Teil, sozusagen der rechte Flügel, von der CDU.
HELLER	Warum hat sie denn einen anderen Namen und kämpft nicht einfach als CDU?
HERR WINKLHUBER	Das wäre undenkbar. Der Freistaat Bayern muß doch seinen Anschein von Unabhängigkeit wahren.
HELLER	Ach, so. Nun, München hat sicher noch Besseres als Wahlplakate zu bieten. Womit soll ich anfangen?
HERR WINKLHUBER	Sie sind, glaube ich, in den Vier Jahreszeiten untergebracht. Das ist in der Maximilianstraße, etwa hundert Meter südlich von der Residenz und dieselbe Entfernung nördlich vom Hofbräuhaus: da haben Sie eine schöne Wahl!
HELLER	Ich kann mir wirklich Schlimmeres vorstellen als eine Besichtigung der Residenz mit anschließender Entspannung im Hofbräuhaus!
HERR WINKLHUBER	Zunächst aber gehen wir essen, irgendwo in der Nähe vom Marien-platz. Ich könnte Sie morgen bei einer Besichtigung der Stadt

begleiten, wenn Sie es wünschen, und erst übermorgen kommen wir zum geschäftlichen Gespräch.

HELLER   Genauso habe ich es mir vorgestellt: in München muß das Vergnügen immer an erster Stelle kommen, das Geschäft erst nachher.

A typical radio news bulletin

Zehn Uhr. Deutschlandfunk. Die Nachrichten.

Das mit nur einer Stimme Mehrheit auf dem SPD-Kongreß in Bremen verabschiedete Votum für Bonn als Sitz von Parlament und Regierung hat nach den Worten des brandenburgischen Ministerpräsidenten Stolpe 'keinen bindenden Charakter'. In einem Interview mit dem Berliner 'Kurier am Morgen' sagte Stolpe, er sei wie der SPD-Vorsitzende Engholm dagegen gewesen, auf dem Parteitag über dieses Problem abzustimmen. Zugleich warnte das neue sozialdemokratische Vorstandsmitglied vor der Gefahr eines wachsenden Mißverständnisses im Verhältnis zwischen West-und Ostdeutschen. Die Bevölkerung in den neuen Ländern halte die Menschen im Westen für überheblich und unzuverlässig. Umgekehrt bezeichneten die Bürger im Westen die Menschen in Ostdeutschland als faul und weinerlich. Diese Ansichten führten jedoch zu nichts, betonte Stolpe.

Noch in diesem Jahr sieht der brandenburgische Minister für Staatsentwicklung Wolff gute Konjunkturchancen für die ostdeutschen Baubetriebe. Der SPD-Politiker erklärte heute in Potsdam Vertreter der Bauwirtschaft sowie der Gewerkschaft Bau-Steine-Erden hätten deutlich gemacht, daß auch nach ihrer Ansicht die Talsohle in der Bauwirtschaft jetzt erreicht sei. Schon für die zweite Jahreshälfte sei mit einer anstehenden Baukonjunktur zu rechnen, betonte Wolff. Insgesamt werde sich die Bauwirtschaft als Konjunkturlokomotive in den neuen Ländern erweisen. Jetzt komme es darauf an, daß vor allem die öffentliche Hand die vorgesehenen Fördermittel schnell in Aufträge umwandele, unterstrich der SPD-Politiker.

Als beklagenswert veraltet hat der Chef der Gesellschaft 'American Airlines', Cranville, die europäische Flugsicherung bezeichnet. Gegenüber der Tageszeitung 'Die Welt' kritisierte Cranville, einerseits wirkten die Staaten politisch zusammen, auf der anderen Seite gäbe es aber nicht einmal ein übergreifendes Flugsicherungssystem. Diese Situation sei geradezu peinlich und führe zu Verspätungen sowie Stau.

Nach tagelangen Stürmen mit anschließenden Überschwemmungen und Erdrutschen im Südwesten Sri Lankas haben die Behörden in der Hauptstadt Kolombo heute eine erste Bilanz vorgelegt. Danach kamen mindestens zwölf Menschen ums Leben. Etwa 40,000 wurden obdachslos. Auch auf den benachbarten Malediven entwurzelte derselbe Sturm Tausende von Kokospalmen und deckte Hütten sowie Häuser ab. Über Schäden an touristischen Einrichtungen ist noch nichts bekannt.

Ⓐ Answer in German

1. Was sagt man für 'Guten Tag' in Bayern und Österreich?
2. Was für Fortschritte macht Herr Heller mit der deutschen Sprache?
3. Warum macht Herr Heller so gute Fortschritte?
4. Was zeigen die Plakate an?
5. An welchem Tag findet eine Wahl statt?
6. Wie heißt die führende Partei in Bayern?
7. Mit welcher anderen Partei ist diese verknüpft?
8. Welche Sehenswürdigkeiten sind in der Nähe von Herrn Hellers Hotel?
9. Wie heißt das Hotel?
10. Wo werden die beiden Herren essen?
11. Was schlägt Herr Winklhuber für morgen vor?
12. Wann werden sie über Geschäfte sprechen?

Ⓑ Translate into German

1. That's normal round our way and common in Switzerland too.
2. You really are making splendid progress.
3. I'm enraptured with it, you see.
4. I'm working hard at it.
5. Have you noticed the posters?
6. The election campaign has been on the go for months.
7. Bavaria is a strictly Catholic country.
8. The CSU is the right wing of the CDU.
9. Bavaria must keep up its appearances of independence.
10. I understand you're staying at the Four Seasons hotel.

##

Example: Der Inhalt ist Ihnen wohl bekannt?
      Nein, der Inhalt ist mir unbekannt.

1. Ist Ihnen das begreiflich?
2. War das Ergebnis Ihnen willkommen?

3. Deine Freunde sind dir wohl sehr dankbar?
4. Sieht Ihr Bruder Ihnen sehr ähnlich?
5. War er seinem Vaterland immer treu?

D

Example: Ist der Wahlkampf schon in Gange? (months)
            Der Wahlkampf ist schon seit Monaten in Gange.

1. Wohnt er in München? (for two years)
2. Arbeiten sie zusammen? (since last summer)
3. Hat die Firma ihren Hauptsitz in Stuttgart? (since the war)
4. Ist er arbeitslos? (for seven weeks)
5. Ist er schon lange bei der Bundeswehr? (for six months)

E Tenses – rewrite the following sentences in the tense indicated

1. Er stellte sich zwar vor, aber ich kannte seinen Namen gar nicht.   (Perfect)
2. Seit unserer Kinderzeit verbringt er seinen Urlaub jedes Jahr in der
   Schweiz.   (Imperfect)
3. Sie wird wohl lange warten, aber endlich wird er doch kommen.   (Pluperfect)
4. Wir waren seit ungefähr drei Wochen in Frankfurt, und fingen an, die Stadt zu
   kennen.   (Present)
5. Er darf bis acht Uhr bei seinem Großvater spielen.   (Imperfect)
6. Sobald er ins Auto eingestiegen war, hatte er das Rauchen eingestellt.   (Perfect)
7. Er wohnt schon seit Jahren in der Nähe.   (Imperfect)
8. Mein Vater ist in Frankfurt ausgestiegen und hat ein Taxi genommen.   (Present)

F Translate into German

1. Today the employers are stronger than the employees.
2. It is incomprehensible to me that the parties talk like that.
3. I have been working on it for two years.
4. I want to buy only cheap stuff.
5. My stay in Düsseldorf was a good incentive.
6. In any case I must be back in the office on Monday morning.
7. My house is two kilometres north of Schwabing and the same distance west of the
   Isar.
8. We'll eat somewhere near the Frauenkirche.
9. We can talk business the day after tomorrow.
10. We submit the following tender in response to your enquiry.

Ⓖ Rôle-playing

Play the part of Herr Heller, whose host is welcoming him on his first visit to Munich.

HERR WINKLHUBER — Grüß Gott, Herr Heller! Ich hoffe, Sie haben einen angenehmen Flug gehabt.

HELLER — *(The flight was very pleasant, and you are pleased to see him again.)*

HERR WINKLHUBER — Ich nehme an, Sie möchten einen gemütlichen und nicht zu anstrengenden Abend verbringen.

HELLER — *(Indeed, you would like to get to bed early — the traffic in London was bad.)*

HERR WINKLHUBER — Also, ich schlage vor, wir essen in aller Ruhe im Walterspiel — das ist so ziemlich in der Stadtmitte und auch empfehlenswert.

HELLER — *(You cannot imagine anything better, and you are very grateful to him for his kindness. You are looking foward to seeing something of the town tomorrow, but wonder where to begin.)*

HERR WINKLHUBER — Für meinen Geschmack sind die Alte Pinakothek und die Amalienburg ganz hervorragend. Ich würde Sie sehr gerne dahin begleiten, wenn's Ihnen recht ist.

HELLER — *(You thought the Amalienburg was part of the Nymphenburg, isn't that so?)*

HERR WINKLHUBER — Sie haben völlig recht, und sogar der schönste Teil, aber wir werden natürlich Schloß Nymphenburg und auch die Gärten besichtigen.

HELLER — *(That would be very kind of him. You would like to offer him a beer right away, if he would permit it.)*

HERR WINKLHUBER — Schön! Dabei kommen wir zur sehr wichtigen Frage: Pschorrbräu oder Paulaner?

HELLER — *(You thought Munich beer was called Löwenbräu.)*

HERR WINKLHUBER — Mensch! Wir müssen uns offensichtlich um Ihre Bierkenntnisse kümmern! Wenn wir sämtliche Münchner Biere probieren, werden Sie bestimmt nicht früh ins Bett kommen.

HELLER — *(Well, that must wait for your next visit, but for now you suggest one beer.)*

Ⓗ Guided conversation

With the help of the following information record or write a summary of the dialogue:

Herr Winklhuber begrüßt Herrn Heller, der ihn mit einem bayrischen Gruß antwortet, und lobt sein gesprochenes Deutsch. (Wann und wo war Herr Heller zum ersten Mal in Deutschland?) Herr Heller erklärt, daß er tüchtig daran gearbeitet hat. (Warum? Seit wann? Wozu?) Herr Winklhuber erwähnt den laufenden Wahlkampf (Woran merkt man, daß dieser in Gange ist?), und Herr Heller fragt über die bayrische Politik. Herr Winklhuber nennt die führende Partei und beschreibt ihre Lage. Herr Heller erkundigt sich über Sehenswürdigkeiten. (Welche zwei erwähnt Herr Winklhuber, und wo befinden sich diese?) Herr Winklhuber lädt ihn zum Essen ein (Wo?) und macht Vorschläge für die nächsten Tage. (Welche?)

GRAMMAR *Reflexive Verbs*
Tenses with 'seit'

1. Although the reflexive pronoun is usually accusative, with some verbs it can be dative. Note that *sich vorstellen* (acc.) is to introduce oneself, and *sich vorstellen* (dat.) is to imagine:

Darf ich mich vorstellen?   Ich kann mir Schlimmeres vorstellen.
Wenn ich mich recht erinnere.   Das kann ich mir denken.
Ich muß mich auf eine Konferenz
   vorbereiten.   Ich kann mir ein passendes
                                                 Auto besorgen.

Note also how frequently German uses a reflexive verb where English simply has an intransitive verb, as in the impersonal expression *es lohnt sich* — it is worthwhile.
Hier verabschiede ich mich.   Das Wetter hat sich geändert.
Die Tür öffnete sich.   Das läßt sich schon machen.

2. With the preposition *'seit'*, if the activity begun in the past is still continuing, the present tense is used, and not the perfect as in English ('has been'):

Der Wahlkampf *ist* schon seit Monaten in Gange.
Ich *bin* schon seit 1978 hier.

Similarly the imperfect is used where English uses the pluperfect ('had been'):
Er *war* seit sechs Monaten in Köln, als sein Vater ihn besuchte.
Ich *arbeitete* schon seit zwei Jahren bei Lamm, als der neue Chef kam.

USEFUL EXPRESSIONS

übrigens   Besides, by the way, incidentally, moreover. From *übrig* —
                     remaining, residual, left over. Note the idiom *etwas für jemanden*
                     (or *etwas*) *übrig haben* — to have time for someone or something,
                     e.g. *Dafür habe ich nicht viel übrig* — I've no time for that, no
                     interest in that.

konfessionell   denominational, applied e.g. to schools and political parties, cf.
                     konfessionslos, used of a person belonging to no religious
                     denomination, and also of a school or party which is
                     undenominational.

CHAPTER 12

Ein gemütliches Lokal

Herr Winklhuber has taken Heller to an inn some distance away from Munich, to give him a taste of traditional Bavarian cooking. They meet a Swiss businessman and learn a little about Switzerland.

WINKLHUBER	Wenn Sie nicht furchtbaren Hunger haben, können wir zunächst ein Bier trinken, während wir die Speisekarte durchlesen. Hier gibt es Pils frisch vom Faß.
HELLER	Ja, gerne. Deutsches Bier mag ich sehr gern.
WINKLHUBER	Fräulein, zapfen Sie uns bitte zwei Pils. Wir bestellen gleich das Abendessen.
FRÄULEIN	Bitte sehr. Die Speisekarten liegen auf dem Tisch, meine Herren. Der Kellner kommt sofort.
FREMDER	Entschuldigung. Haben Sie Feuer bitte?
HELLER	Ja, bitte schön.
FREMDER	Danke schön. Darf ich Ihnen eine Zigarette anbieten?
HELLER	Gerne. Schweizerische Zigaretten? Sind Sie Schweizer?
FREMDER	Ja, und zwar aus Zürich.
HELLER	In der Schweiz spricht man Deutsch als Muttersprache, nicht wahr?
FREMDER	Das Kerngebiet spricht Deutsch, aber der Westen spricht Französisch und der Süden Italienisch.
HELLER	Ich hab' schon so lange die Schweiz besuchen wollen — hab' noch keine Gelegenheit gehabt. Ich lese ganz gerne und weiß, daß die Schweiz ein ganz wichtiges Industrieland ist. Jeder hat von Mettler, Nestlé und Ciba-Geigy gehört.
FREMDER	Stimmt, diese Firmen sind sehr wichtig. Unser Land ist überbevölkert, und wir können uns nicht ernähren. Wir können Lebensmittel nur dann einkaufen, wenn es uns gelingt, Industriegüter im Ausland zu verkaufen. Es fehlen uns auch die Rohstoffe, für unsere Industrie. Sind sie Deutscher?
HELLER	Nein, Engländer, und zum ersten Mal in Bayern. Eigentlich wollte ich Altschwabing besuchen, denn ich habe so viel davon gelesen.
WINKLHUBER	Es lohnt sich nicht. Das ist schon längst Vergangenheit. Altschwabing wurde in den Flammen des zweiten Weltkrieges zerstört. Es empfiehlt sich, die Außenbezirke zu sehen. Hier ißt man in altbayrischem Stil. Außerdem haben wir unseren neuen Freund aus der Schweiz

kennengelernt. (*zu dem Fremden*) Sie gesellen sich doch zu uns?

FREMDER	Sehr gerne.
KELLNER	Na, meine Herren, haben Sie etwas ausgesucht?
HELLER	Was würden Sie empfehlen?
KELLNER	Entweder schmackhaft zubereitete Lungen mit Semmelknödeln, oder, als typisch bayrische Kost, den Sauerkrautteller. Das ist ein Potpourri aus geräuchertem und gebratenem Schweinefleisch, Schweinswürstln, Leberknödeln, Weinsauerkraut und Kartoffelpüree. Er ist sehr lecker.
WINKLHUBER	Aber vorher kann ich die hausgemachte Hummersuppe empfehlen.
HELLER	Ich bin ganz in Ihrer Hand.

„Hier steht es doch: Mit Schaschlik-Soße abschmecken und auf einem flammenden Schwert servieren"

NOTE: Bavarian cooking is characterised by substantial helpings, variety being imparted by which cut of pork one chooses, and whether one has bread dumplings or potato dumplings with it. *Apfelstrudel* is a typically Bavarian dessert, though it may be eaten mid-morning and mid-afternoon as well.

Ⓐ Answer in German

1. Was machen die Herren, während sie etwas zu essen aussuchen?
2. Was für Bier gibt es in diesem Restaurant?
3. Trinkt Herr Heller gern deutsches Bier?
4. Woher weiß Herr Heller, daß der Fremde Schweizer ist?
5. Welche Sprachen werden in der Schweiz gesprochen?
6. Warum müssen die Schweizer exportieren?
7. Warum lohnt es sich nicht, Altschwabing zu besuchen?
8. Was bietet die Speisekarte?
9. Was ist typisch bayrische Kost?
10. Was ist auch empfehlenswert?

Ⓑ Translate into German

1. If you are not hungry right now, we could have a drink first.
2. Shall we have a beer while we look at the menu?
3. Excuse me, could you give me a light please?
4. Would you like a cigarette?
5. We have to export, because having such a large population we cannot feed ourselves.
6. By exporting industrial goods we can buy our foodstuffs.
7. We don't have raw materials either, and we have to buy them.
8. It's much better to try somewhere out of town.
9. Anyway, we have made a new friend from Switzerland.
10. I can recommend the lobster soup.

Ⓒ Explain in German

1. Pils frisch vom Faß.
2. Das Kerngebiet spricht Deutsch.
3. Unser Land ist überbevölkert.
4. Es fehlen uns auch die Rohstoffe.
5. Sie gesellen sich doch zu uns?

Ⓓ Wenn, als or wann?

1. — die Nebenstellennummer bekannt ist, ist die Eins wegzulassen.
2. — ich bei Herrn Zehnpfennig in Stuttgart war, habe ich Frau Schultze kennengelernt.
3. — Sie noch keinen Hunger haben, können wir erst ein Bier trinken.
4. Er fragte, — das Flugzeug in Frankfurt gelandet sei.
5. — ich auf der Messe bin, übernachte ich immer in Sachsenhausen.
6. — ich aus dem Bahnhof herauskam, habe ich sofort die Fabrik erblickt.
7. — wir mit unserem eigenen Wagen fahren, können wir durch das Rheintal fahren.
8. Wissen Sie, — der Zug nach Stuttgart abfährt?

9. — mein Freund anfing, Deutsch zu sprechen, haben wir uns fast totgelacht.
10. — wir mehr Geld hätten, würden wir die Rheinfahrt mit unserem eigenen Boot machen.
11. Darf ich fragen, — Sie wieder nach England kommen?
12. — ich nach Deutschland fahre, spreche ich selbstverständlich nur Deutsch.

Ⓔ Give the correct form of the verb

1. Das (lassen) sich schon machen, doch die Telefoneinheit im Hotel (kosten) eine Mark, und es (werden) sehr teuer, ins Ausland zu telefonieren.
2. Ich (haben) mit Frau Schultze (sprechen).
3. In der Zeitung (lesen) man so viel von großen Arbeitskämpfen in England.
4. Herr Krause (werden) uns durch die Werksanlagen führen.
5. (Wissen) du nicht, daß du ein Auto von hier aus (mieten) (können)?
6. Ich (anfangen), mich hier ganz zu Hause zu fühlen.
7. Fräulein Adams (geben) nur dringende Ferngespräche durch.
8. Ich habe eine Menge Prospekte vom Reisebüro (mitbringen).
9. Wir hatten Sie (bitten), uns eine Exportliste in DM zu schicken.
10. Hier (geben) es Pils frisch vom Faß.
11. Deutsches Bier (mögen) ich sehr gern.

Ⓕ Relative clauses

Example: Herr Heller ist beauftragt, seine Firma zu vertreten.
Er fliegt nach Frankfurt.
Herr Heller, der nach Frankfurt fliegt, ist beauftragt, seine Firma zu vertreten.

1. Der Mann führt uns durch die Werksanlagen. Er heißt Krause.
2. Die Frau spricht mit Herrn Zehnpfennig. Sie ist Einkaufsleiterin.
3. Das Hotel 'Hessisches Kreuz' hat 68 Fremdenzimmer. Es befindet sich etwa hundert Meter von der Zeil.
4. Der Vertreter will auf dem laufenden bleiben. Er notiert die Neuheiten.
5. Unsere Fabrik ist ganz neu. Sie liegt neben dem Bahnhof.
6. Die Arbeitnehmer sind alle Gastarbeiter. Sie sind in diesem Betrieb beschäftigt.
7. Herr Heller wohnt in einem Dorf an der Themse. Er hat ein schönes altes Haus.
8. Das Fräulein ist meine Sekretärin. Herr Zehnpfennig spricht mit ihr.
9. Der Kunde hat keine Bestellungen aufgegeben. Sie haben mit ihm gesprochen.
10. Viele Verkehrszeichen stehen hier schon jahrelang. Sie sind bei uns erst kürzlich eingeführt worden.

Ⓖ Rôle-playing

You have to take a German visitor to dinner. Play the part of the host.

HOST   (*Would you like to eat straightaway, or would you like a glass of real*

GUEST	*English beer while we read through the menu?)*
	Ich trinke sehr gern ein Glas Bier. Englisches Bier ist so lecker.
HOST	*(Here is the menu. I'll call the waiter as soon as we have our drinks.)*
GUEST	Ich hab' viel von Soho gelesen. Ich dachte, wir gingen vielleicht dahin.
HOST	*(It really isn't worth it. At this time of year there are so many tourists in London that you cannot find a table. Here, out of town, we can eat our meal in comfort on the river bank.)*
GUEST	Das stimmt. Hier an der Themse ist es wirklich herrlich.
HOST	*(Would you like another pint of beer at the bar, or shall we order our meal and take our drinks to the table?)*
GUEST	Ich hab' jetzt Hunger. Lassen Sie uns gleich bestellen!
HOST	*(Good! Excuse me, Miss, two more pints of beer please, and would you send the waiter over to us? We are ready to order.)*

Ⓗ Guided conversation

With the help of the following information record or write a summary of the dialogue:

Herr Heller und Herr Winklhuber sind in einem Restaurant. Sie trinken Bier. (Was für Bier?) Herr Heller mag deutsches Bier. Sie lesen die Speisekarte durch. (Wo liegt die Speisekarte?) Sie lernen einen Herrn aus der Schweiz kennen. (Woher wissen sie, daß er aus der Schweiz ist? Wo ist der Schweizer zu Hause? Welche Sprachen spricht man sonst noch in der Schweiz?) Die zwei Herren wissen schon, daß die Schweiz ein sehr wichtiges Industrieland ist. (Welche schweizerischen Firmen sind weltbekannt? Warum muß die Schweiz exportieren?) Herr Heller sagt, daß er lieber Altschwabing besucht hätte. (Warum lohnt es sich nicht? Warum ist es besser, dieses Restaurant zu besuchen?) Der Schweizer freut sich, sich zu den beiden gesellen zu können. Sie wollen jetzt bestellen. (Was empfiehlt der Kellner? Was empfiehlt Herr Winklhuber? Wie entscheidet sich Herr Heller?)

GRAMMAR   *Gender of Nouns*   *Relative Pronouns*

It is, of course, always best to learn the gender of each noun by heart. There are, however, some general rules which students of the language may find useful. The rules below are not exhaustive, and there are many exceptions. Take them for what they are: just a few tips to help you through the maze. We shall deal in this chapter with masculine nouns. Feminine and neuter nouns will be discussed in chapters 13 and 16 respectively. Masculine nouns are:

1. Those which by meaning are masculine:

der Sohn, der Vater, der Bruder, der Hund, der Löwe, der Kater, der Mann.

2. Those ending in —er, —ich, —ig, —ing, —ler, —ling, —ner:
   der Bäcker, der Teppich, der Rettich, der Kranich, der König, der Honig, der Käfig, der Hering, der Tischler, der Zwilling, der Liebling, der Lehrling, der Rentner.

3. The names of the days, months and seasons:
   der Donnerstag, der März, der Herbst.

4. Winds, points of the compass, precipitation (rain, snow, hail, etc):
   der Schnee, der Hagel, der Monsun, der Regen, der Norden, der Süden, der Passat, der Föhn, der Scirocco.

5. Mountains and mountain ranges:
   der Vesuv, der Montblanc, der Harz, der Taunus, der Brocken, der Ätna.

6. The names of most non-German rivers (except those ending in —a, —e):
   der Nil, der Ganges, der Po, der Tiber — but N.B. die Themse.

Relative pronouns	*Masculine*	*Feminine*	*Neuter*	*Plural*
Nominative	der	die	das	die
Accusative	den	die	das	die
Genitive	dessen	deren	dessen	deren
Dative	dem	der	dem	denen

Relative pronouns act as a bridge between one clause and another, referring back to a person or object in the previous clause, e.g.: *Herr Heller ging in die Fabrik. Die Fabrik gehört Herrn Zehnpfennig. Die Fabrik, in die er ging, gehört Herrn Zehnpfennig.* From the above it will be seen that:

1. The relative clause is separated from the main clause by commas.
2. In the relative clause the verb comes last.
3. The relative pronoun agrees in gender and number with the noun for which it stands.
4. In English it is permissible to leave out the relative pronoun; in German it is not:
   Die Fabrik, in die er ging The factory he went into
5. The case of the relative pronoun depends on its job in the relative clause:
   Das Mädchen (nom.), *dem* (dat.) *ich schrieb, hat nicht geantwortet.*
   Die Einkaufsleiterin (nom.), *deren* (gen) *Mann in Stuttgart tätig ist, wohnt unweit von hier.*

After a preposition, when referring to things, the form *durch den, in dem* etc, can sometimes be replaced by *wodurch, worin* etc. N.B. This does not apply to the preposition *ohne*.
Der Wald, *wodurch* wir jetzt fahren, heißt Idarwald.

USEFUL EXPRESSIONS

Pils frisch vom Faß	Beer *'vom Faß'* (literally 'from the barrel') is on draught, as opposed to *Flaschenbier*.
das Kerngebiet	*Der Kern* is kernel, nucleus, also a pip or seed. Here it means heart or centre, cf. *Stadtkern*.
Sie gesellen sich doch zu uns?	You will join us, won't you?

CHAPTER 13

Das kann mal vorkommen

Heller is driving along the motorway with Winklhuber.

HELLER Bleibt das so, daß die Bundesrepublik das einzige Land ist, ohne Geschwindigkeitsbeschränkung auf den Autobahnen?

WINKLHUBER Ja. Für uns in der Bundesrepublik ist es wichtig, daß wir schnell in die Zentren kommen.

HELLER Aber mit so vielen Baustellen auf den Autobahnen geht es doch nicht so schnell.

WINKLHUBER Richtig! Letztes Jahr in den Sommerferien waren es 150 Baustellen. Leider muß es so sein. Wir können nicht nur im Winter reparieren; wir müssen auch während der guten Bauzeit im Sommer arbeiten. Oh! Was ist das für ein Geräusch? Der Wagen will rechts ausscheren. Wir haben bestimmt eine Reifenpanne. Das ist ja ärgerlich. Ich fahre auf den Pannenstreifen. So — Motor abstellen.

HELLER Jetzt müssen wir den Reifen wechseln. Das dauert nicht lange. Der Wagenheber befindet sich wohl im Kofferraum, was?

WINKLHUBER O Gott, O Gott! Jetzt erinnere ich mich. Den Wagenheber habe ich meinem Nachbarn geliehen. Ich wollte ihn gestern abend abholen, hab' es aber ganz vergessen.

HELLER Dann müssen wir Hilfe suchen. Wie komme ich zur Notrufsäule?

WINKLHUBER Sehen Sie den Pfeil auf dem weißen Leitpfahl? Er weist die Richtung zur nächstliegenden Säule. Da sie sich alle 2 km befinden, braucht man nie mehr als 1 km zu laufen.

HELLER Und wenn ich da bin, mit wem sprech' ich am Telefon?

WINKLHUBER Diese Notrufsäulen sind direkt mit der zuständigen Autobahnmeisterei verbunden. Der Notruf wind sofort entsprechend weitergeleitet. Dann kann uns schnell geholfen werden.

HELLER Falls ich Fehler mache, erklären Sie mir ganz schnell, was ich sagen soll.

WINKLHUBER Geben Sie Ihren Namen, genauen Standort und Art der Panne.

HELLER Wo sind wir eigentlich?

WINKLHUBER Das ist auf der Innenseite der Sprechklappe verzeichnet.

HELLER Gut. (*Heller macht sich auf den Weg.*)

WINKLHUBER Nein, noch nicht! Zunächst den Wagen mit Warndreieck absichern.

Im Kofferraum befindet sich auch eine Warnblinkleuchte.

HELLER   Gut. Bleiben Sie hier. Ich komm' ganz schnell wieder.

Ⓐ Answer in German

1. Wie lautet die Geschwindigkeitsbeschränkung auf deutschen Autobahnen?
2. Warum geht es trotzdem doch nicht so schnell auf der Autobahn?
3. Warum gibt es besonders im Sommer so viele Baustellen?
4. Wozu braucht man einen Wagenheber?
5. Wie findet man auf deutschen Autobahnen die nächstliegende Notrufsäule?
6. Mit wem spricht man am Telefon, wenn man zur Notrufsäule kommt?
7. Welche Auskunft muß man der Autobahnmeisterei geben?
8. Wie weiß man seinen genauen Standort?
9. Erklären Sie, was mit der Warnblinkleuchte zu machen ist.
10. Was muß man mit dem Warndreieck machen?

Ⓑ Translate into German

1. Last year there were more than 100 roadworks during the summer holidays.
2. One cannot repair motorways in bad weather.
3. We have got a puncture. We'll have to change the tyre.
4. I'll get the jack from the boot.
5. Before you do that, go back 100 metres and set up the warning triangle.
6. You must walk to the nearest emergency telephone.
7. Your emergency call will be passed on to the appropriate people.
8. Please state your name, your exact location and the nature of your breakdown.
9. How do I know my exact location?
10. It's written on the inside of the emergency telephone.

Ⓒ Explain in German

1. Geschwindigkeitsbeschränkung
2. Autobahnbaustelle
3. Autobahnpannenstreifen
4. Wagenheber
6. Notrufsäule
7. Die zuständige Autobahnmeisterei

Ⓓ Prepositions and the cases which follow them. Complete

1. Wir haben davon während d— Essen— gesprochen.
2. Der Fluß fließt durch ei— tief— See.
3. Wir haben die Möbel gegen d— Wand gestellt, und wir haben getanzt.
4. Sindelfingen liegt auf d— Strecke nach Stuttgart.

5. Wegen d— Krankheit ih— Vater— bleibt sie zu Hause.
6. Sie glaubt, ohne ih— Mann nicht leben zu können.
7. Wo ist er angestellt? Er ist bei d— Bundesbahn.
8. Er hat es zu mei— voll— Zufriedenheit erledigt.
9. Treffen wir uns um 8 Uhr? Gut, dann warte ich an d— Ecke.
10. Ich saß zwischen mei— Bruder und sei— schön— Frau.

E Rewrite in the tense indicated

1. In der Fertigungsstraße folgen wir dem Trend zur Automation. (Future)
2. Ich kam als Schulabgänger in die Lehre zu dieser Firma. (Perfect)
3. Ich habe nach dem Hochschulabschluß angefangen. (Present)
4. Unsere Flugzeit beträgt etwa anderthalb Stunden. (Perfect)
5. Ich stehe Ihnen zur Verfügung und bin bereit, nach Köln zu kommen. (Imperfect)
6. Ich habe sogar einen Fahrplan in der Tasche. (Imperfect)
7. Die Fabrik können Sie vom Haupteingang des Bahnhofs sehen. (Future)
8. Ich soll um halb zehn ankommen. (Perfect)
9. Ich muß mich auf die Konferenz vorbereiten. (Future)
10. Wir haben in Frankfurt gesprochen. (Imperfect)
11. Ich wollte Frau Schultze in Frankfurt besuchen. (Perfect)
12. Er wird uns durch die Werksanlagen führen. (Present)

F Rôle-play

Heller and Winklhuber are driving along the motorway. Play the part of Heller:

HELLER	*(I'm very surprised that you still have no speed limits on the motorways.)*
WINKLHUBER	Für uns ist es sehr wichtig, daß wir schnell zum Endziel kommen.
HELLER	*(Yes, but I've noticed all these roadworks. So it's not so fast after all!)*
WINKLHUBER	Leider nicht. — Oh! Aufpassen. Reifenpanne. Ich muß auf den Pannenstreifen fahren.
HELLER	*(I'll help you change the tyre. If you take out the jack, I'll go back with the warning triangle.)*
WINKLHUBER	Den Wagenheber habe ich einem Kollegen geliehen. Wir müssen Hilfe suchen.
HELLER	*(No problem. I'll go to the emergency telephone, just tell me what I should say, so that I will be able to do it if I ever have a puncture when I'm alone.)*

G Guided conversation

With the help of the following information record or write a summary of the dialogue:

Die Deutschen fahren sehr schnell auf den Autobahnen. (Was ist die Geschwindigkeitsgrenze? Was ist für die Deutschen sehr wichtig?) Aber trotzdem geht es nicht so schnell. (Warum nicht? Warum müssen die Autobahnen im Sommer repariert werden?) Woher weiß Winklhuber, daß er eine Reifenpanne hat? (Geräusch. Was will der Wagen?) Was macht man in Deutschland, wenn man auf der Autobahn eine Panne hat? (Den Wagen mit Warndreieck absichern. Warnblinkleuchte.) Winklhuber hat den Wagenheber einem Nachbarn geliehen. Was muß Heller jetzt tun? (Zur nächstliegenden Notrufsäule. Anrufen.) Was soll er alles sagen? (Namen. Standort. Art der Panne.) Woher weiß er den genauen Standort? (Auf der Sprechklappe.)

Ⓗ Translate into German

Well, it's good to see you again. Welcome back to Munich. I must say, your German is very impressive. You really have made progress since we last met. It is obvious that you made good use of your time at the Frankfurt Fair. Let me take your cases, the car is just over there.

I suppose you've already noticed the posters? It's for the election campaign, which has been on the go for months now. We've all got election fever.

If you are not hungry right now, we could have a drink, then I have a little surprise for you. I want to take you to a place I know in the country. They serve the most delicious Bavarian food. It's an experience you will not forget, I promise you.

GRAMMAR *Gender of Nouns*

Feminine nouns are:
1. Those which by meaning are feminine:
   die Mutter, die Schwester, die Tochter, die Kuh.
2. Those ending in —in, —heit, —keit, —schaft, —ung, —ei:
   die Lehrerin, die Hündin, die Schülerin, die Ärztin, die Schönheit, die Süßigkeit, die Landschaft, die Dichtung, die Partei.
3. The names of many trees and flowers:
   die Lärche, die Eiche, die Fichte, die Buche, die Dahlie, die Tulpe, die Rose, die Nelke, but N.B. der Ahorn (maple), der Flieder (lilac), der Holunder (elder).
4. The names of most German rivers:
   die Donau, die Mosel, die Elbe, die Ruhr, die Weser, die Lahn, but N.B. der Rhein, der Main, der Neckar, der Inn. Note also that many very large foreign rivers are masculine because 'der Strom' is understood, e.g. *der Nil, der Mississippi, der Amazonas, der Kongo* (see also Grammar Chapter 12).
5. Numbers used as nouns:
   die Null, die Eins, die Vier.

USEFUL EXPRESSIONS

gegen die Geschwindigkeitsbegrenzung verstoßen	to exceed the speed limit
es wird sofort weitergeleitet	it will be passed on at once

CHAPTER 14

Die deutsche Wirtschaft

Heller and Winklhuber have reached the sanctuary of a warm bar. They have been discussing the difficulties of economic forecasting.

HELLER	Der Crash vom 19 Oktober 1987 ist schon Geschichte. Die deutschen und englischen Börsen sind zum Normalzustand zurückgekehrt — und doch möcht' ich keine Prognosen machen.
WINKLHUBER	Ja, einem beständigen Konjunkturanstieg stehen viele Hindernisse im Weg. Nur durch erhöhte Kapitalanlagen ist ein anhaltender Wirtschaftsaufschwung zu erreichen.
HELLER	Aber dazu brauchen wir eine beträchtliche Zinsherabsetzung.
WINKLHUBER	Richtig! Aber so was ist leider nur dann zu erwarten, wenn Optimismus herrscht und Verschuldung durch anhaltendes Wirtschaftswachstum überwunden wird.
HELLER	Was für eine Wachstumsrate können wir im kommenden Jahr in der EG erwarten?
WINKLHUBER	Konjunkturforscher bei uns in der Firma haben das Wirtschaftswachstum in den westlichen Industrieländern bis zur Jahrtausendwende geschätzt. Das Ergebnis: die ärmeren EG-Länder im Süden Europas haben einen kräftigen Wachstumsschub zu erwarten — insbesondere seit der Vollendung des Binnenmarkts im Jahre 1993. Wesentlich gedämpfter sind dagegen, mit Ausnahme von Japan, die Aussichten in den anderen Ländern.
HELLER	Und wo liegt Deutschland nach der Wiedervereinigung? Wird ein neues Wirtschaftswunder stattfinden?
WINKLHUBER	Ich habe keinen Zweifel, daß im Osten eine ebenso blühende Wirtschaftsstruktur entstehen wird, wie wir sie hier im Westen haben. Und das noch in den neunziger Jahren. Die Frage ist nur, wie die schwierige Übergangszeit bewältigt werden kann.
HELLER	Die Vereinigung wurde vielleicht zu schnell herbeigeführt?
WINKLHUBER	Nein, wir wußten aber zu wenig über die wahren wirtschaftlichen Verhältnisse. Die industrielle Basis der DDR war viel schlechter, als wir angenommen hatten.
HELLER	Hätte man nicht vorher in aller Ruhe eine Bestandsaufnahme machen sollen?
WINKLHUBER	Wieso? Je schneller man aufhört, Unsinniges und Unverkäufliches zu

„Langweilen Sie mich nicht mit Fakten. Sagen Sie mir,
was ich hören will!"

produzieren, desto vernünftiger ist das. Übrigens gibt es im Osten
viele gut ausgebildete, arbeitswillige und arbeitsfähige Arbeitskräfte.

HELLER   Wie ist es mit der Inflation in den EG-Ländern? Haben Sie in dieser
Hinsicht irgendwelche Sorgen?

WINKLHUBER   Es ist höchst unwahrscheinlich, daß irgendeine merkliche
Verbesserung der jährlichen Inflationsrate eintreten wird, und, infolge
der Lücke zwischen den verschiedenen Inflationsraten der EG-
Länder, ist es anzunehmen, daß das europäische Währungssystem
erneut reformiert werden muß.

HELLER   Meine Kunden in Stuttgart waren der Meinung, die künftige
Wirtschaftsentwicklung wird in hohem Maße davon abhängen, ob
und wie Deutschland seine Energieprobleme löst.

WINKLHUBER   Das schon. Wie Sie doch wissen, verfügen wir über kein eigenes
Erdöl.

Ⓐ Answer in German

1. Was tut Heller nur ungern trotz der Normalisierung der Börsen?
2. Wie ist ein anhaltender Industrieaufschwung zu erreichen?
3. Wann ist eine beträchtliche Zinsherabsetzung zu erwarten?

4. Die Wirtschaft welcher Länder wird im kommenden Jahr am schnellsten wachsen?
5. Welche EG-Länder können einen kräftigen Wachstumsschub erwarten?
6. Was wird in Ostdeutschland entstehen?
7. Was für Arbeitskräfte gibt es in Ostdeutschland?
8. Wie sieht es mit der jährlichen Inflationsrate aus?
9. Warum muß das europäische Währungssystem reformiert werden?
10. Was bestimmt die künftige Wirtschaftsentwicklung Deutschlands?

B Translate into German

1. I don't want to make any forecasts.
2. There are lots of obstacles to economic growth.
3. We must hope for a significant reduction in interest rates.
4. Debt problems will only be overcome by sustained economic growth.
5. What sort of growth do you expect in the coming year?
6. Germany has to solve her energy problems before she can expect economic growth.
7. Perhaps the reunification was too hastily completed?
8. Are we going to see another economic miracle in this new united Germany?
9. Eventually we shall be successful, but the transition will be difficult.
10. The whole process of unification was concluded too quickly.
11. Don't you think it would have been better if you had first taken stock of the situation?
12. It seems sensible to stop producing things which do not sell.

C Explain in German

1. ein beständiger Konjunkturanstieg
2. eine beträchtliche Zinsherabsetzung
3. anhaltendes Wirtschaftswachstum
4. das Währungssystem wird reformiert
5. eine Bestandsaufnahme machen
6. wir verfügen über kein eigenes Erdöl

D Prepositions and the cases which follow them. Complete

1. Leider muß ich während d— Ferien arbeiten.
2. Wie komme ich zu d— nächst— Bushaltestelle?
3. Können Sie mich mit d— neu— Verkaufsleiter verbinden?
4. Trotz sei— groß— Erfolg bleibt Heller unsicher.
5. Wie ist es mit Ihr— Firma nach d— Vereinigung?
6. Ich beneide dich darum, daß du durch d— ganz— Welt reisen kannst.
7. Die Lage der Werke unmittelbar in d— Stadtmitte ist vorteilhaft.
8. München und Köln sind durch d— zentral— Lage Stuttgarts bequem zu erreichen.

9. Was Sie getan haben ist in jed— Hinsicht falsch.
10. Herr Zehnpfennig verfügt über groß— Einfluß in dies— Stadt.

Ⓔ Rewrite in the tense indicated

1. Die Börsen sind zum Normalzustand zurückgekehrt. (Future)
2. Meine Kunden in Stuttgart waren dieser Meinung. (Perfect)
3. Die Frage ist nur, wie die Übergangzeit bewältigt werden kann. (Perfect)
4. Es war viel schlimmer, als sie angenommen hatten. (Present)
5. Wie Sie doch wissen, haben wir kein Erdöl. (Imperfect)
6. Das europäische Währungssystem muß reformiert werden. (Perfect)
7. Wir müssen den Reifen wechseln; das dauert nicht lange. (Perfect)
8. Die Wiedervereinigung wurde vielleicht zu schnell herbeigeführt. (Perfect)
9. Ich habe ihn gestern abend abgeholt. (Present)
10. Ich fahre ans Bankett. (Perfect)
11. Du mußt den Wagen mit dem Warndreieck absichern. (Perfect)
12. Wird ein neues Wirtschaftswunder stattfinden? (Present)

Ⓕ Rôle-playing

Heller and Winklhuber are discussing the economic future. Play the role of Heller.

HELLER	*(The stock markets have recovered from the crash of 1987, but I don't feel like making any forecasts.)*
WINKLHUBER	Ja. Nur durch erhöhte Kapitalanlagen ist ein anhaltender Wirtschaftsaufschwung zu erreichen.
HELLER	*(But the interest rates are too high. These will have to come down considerably.)*
WINKLHUBER	Richtig. Man hat aber keinen Optimismus mehr.
HELLER	*(But surely we can expect some economic growth — at least in the short term?)*
WINKLHUBER	Vom Jahre 1993 an haben die ärmeren EG-Ländern einen kräftigen Wachstumsschub zu erwarten. Gedämpfter sind die Aussichten in den anderen Ländern.
HELLER	*(I feel sure that if industry in the east of Germany can make the transition to western methods, we could yet see another economic miracle. But it is most important that Germany solves her energy problems.)*

Ⓖ Guided conversation

With the help of the following information record or write a summary of the dialogue:

Jetzt sind die Börsen zum Normalzustand zurückgekehrt. (Was ist in 1987 passiert?)

Jedoch stehen einem beständigen Konjunkturanstieg viele Hindernisse im Weg. (Wie ist ein anhaltender Wirtschaftsaufschwung zu erreichen? Wann ist eine Zinsherabsetzung zu erwarten?) Heller wüßte gern was für eine Wachstumsrate in der EG zu erwarten ist. (Was sagt Winklhuber? Welche Wirtschaft wächst schneller? Wo liegt Deutschland nach der Wiedervereinigung?) Heller fragt, ob die Vereinigung zu schnell herbeigeführt wurde. (Wie war die industrielle Basis der DDR? Und warum war es trotzdem vernünftig, die Vereinigung durchzuführen? Was für Arbeitskräfte gibt es im Osten?)

▆ GRAMMAR ▆ *Comparison of Adverbs*

1. In Chapter 4 it was pointed out that most adjectives and adverbs have a comparative form which is identical with uninflected adjectives, e.g.
   er lief schnell, aber sie lief schneller

It is also worth remembering the following constructions:

oben + preposition	*oben auf dem Berg*
unten + preposition	*unten im Keller*
mitten + preposition	*mitten auf der Straße*

2. The following set phrases should also be learned:

ab und zu	from time to time
dann und wann	now and then
hin und her	to and fro
von dem Tage an	from that day forth
von Natur aus	by nature; naturally
von Anfang an	right from the start

▆ USEFUL EXPRESSIONS ▆

ein beständiger Konjunkturanstieg	a lasting economic recovery
eine beträchtliche Zinsherabsetzung	a significant fall in interest rates
anhaltendes Wirtschaftswachstum	sustained growth
eine Bestandsaufnahme machen	to take stock (also fig.)
auf lange/kurze Sicht	in the long/short term
verfügen über etwas	to have something at one's disposal

CHAPTER   15

Was die Zukunft bringt

Heller and Winklhuber are discussing the future with particular reference to travel within the EC since internal frontiers were abolished at the end of 1992.

HELLER
Seit Ende 1992 ist der gemeinsame Binnenmarkt vollendet. Ein Markt ohne Grenzen und bürokratische Hemmnisse mit etwa 320 Millionen Verbrauchern. Dieses Thema bestimmt die Diskussion in unserem Unternehmen. Was meinen Sie, Herr Winklhuber, für welche Unternehmen wird sich der europäische Binnenmarkt besonders günstig auswirken?

WINKLHUBER
Es könnte wohl der Verkehrs-Sektor sein. Sowohl der Geschäfts — als auch der Privatsektor wird sich bis zum Jahr 2000 nochmals verdoppeln. Ich verzeichne verstärkten Geschäftsreiseverkehr und eine kräftige Belebung des Flugtourismus. Durch die neuen EG-Bestimmungen sind wegen des zu erwartenden größeren Wettbewerbs im Zuge der Liberalisierung mehr Fluggäste zu erwarten.

HELLER
Ja schon, aber ab Ende 1999 gibt es keine zollfreien Läden mehr. Zu den angenehmsten Aspekten des Reisens zählten die Duty-free shops, wo die Passagiere, während sie auf ihre verspätete Maschine warteten, zollfrei einkaufen konnten. Die Flughafenbehörden müssen sich der Gefahr stellen, bis zu 50 Prozent ihrer Einnahmen aus dem Duty-free Geschäft zu verlieren. Sind Sie der Ansicht, daß die betroffenen Verkehrsträger die Einnahmeverluste an die Reisenden weitergeben werden?

WINKLHUBER
Dieser Markt ist sehr preisempfindlich. Die Reisegesellschaften können nicht einfach die Fahrkartenpreise erhöhen. Ob Duty-free weggefallen ist oder nicht spielt keine Rolle. Es besteht die Herausforderung für Hersteller und Handel darin, neue Wege zu finden, auf denen die Leute sich anregen lassen, den Einkauf während der Reise zu genießen.

HELLER
Was ich besonders aufregend finde — seit 1 Januar 1993 — mit der Einführung des europäischen Binnenmarkts gibt es an den gemeinsamen Grenzen aller EG-Staaten keine Personenkontrollen mehr.

WINKLHUBER
Und was haben wir dann?

„Er hat sein erstes Wort eingegeben!"

HELLER   Zum einen sicher ein Mehr an Bequemlichkeit: keine Staus, keine
              Wartezeiten, kein lästiges Anhalten mehr an der Grenze, denn ab
              diesem Zeitpunkt dürfen die Grenzpolizeien die Pässe nicht mehr
              kontrollieren.

WINKLHUBER   Aber es gibt auch eine Kehrseite der Medaille. Ich bin der Meinung,
              daß wir die Grenzkontrollen nicht völlig abschaffen sollen, wenn wir
              unsere Bürger schützen und den Drogenhandel und die Freizügigkeit
              von Terroristen und illegalen Einwandern unterbinden wollen.

Ⓐ Answer in German

1. Wovon ist die Rede in Hellers Unternehmen?
2. Wieviele Verbraucher gibt es in dem gemeinsamen Binnenmarkt?
3. Für welchen Sektor wird sich der europäische Binnenmarkt besonders günstig
   auswirken?
4. Warum sind mehr Fluggäste zu erwarten?
5. Welche Gefahr droht den Flughafenbehörden?
6. Warum können nicht die Reisegesellschaften einfach die Preise erhöhen?
7. Wozu werden Hersteller herausgefordert?
8. Was findet Heller besonders aufregend?
9. Was dürfen die Grenzpolizeien nicht mehr machen?
10. Warum sollen wir die Grenzkontrollen nicht völlig abschaffen?

Ⓑ Translate into German

1. At last! A real common market without internal barriers!
2. In my opinion the travel business will do very well out of it.
3. One can certainly expect many more people travelling by air.

4. But surely the airlines are losing money now that there are no more duty-free shops.
5. I don't think they can pass these losses on to the customer.
6. They will just have to find other things to sell to their passengers.
7. Travelling within the integrated market is so much more convenient.
8. The police are no longer allowed to inspect passports.
9. No more waiting at the frontier: no more traffic jams.
10. There's another side to the coin, you know.
11. You cannot do away with border controls completely.
12. We have to keep out terrorists and illegal immigrants.

C Explain in German

Der einheitliche und gemeinsame Binnenmarkt bedeutet:
1. Beseitigung von Grenzkontrollen für Personen und Waren.
2. Angleichung der unterschiedlichen nationalen Normen, Standards und technischen Anforderungen.
3. Vollständige Liberalisierung des Kapitalverkehrs.
4. Harmonisierung der Verkehrspolitik.

D Complete

1. Seit unse— Kinderzeit verbringt er jed— Jahr sei— Urlaub in d— Schweiz.
2. Auf d— Messe hatten wir d— Eindruck, daß unse— Erzeugnisse Ih— Bedürfniss— entsprechen.
3. Für welch— Unternehmen wird sich d— europäisch— Binnenmarkt besonders günstig auswirken?
4. Was hält Frau Schultze von d— Qualität d— angeboten— Erzeugnisse?
5. Mit d— Einführung d— europäisch— Binnenmarkt— gibt es an d— gemeinsam— Grenz— all— EG Staaten kei— Personenkontrollen mehr.
6. Herzlich— Dank für d— Einblick in d— Arbeitsgebiet Ih— Firma.
7. Ich hoffe, noch heute d— Vertrag für ei— ziemlich groß— elektronisch— Anlage zu unterzeichnen.
8. Wir haben d— Ruhrschnellweg verlassen, um ei— näher— Eindruck von d— Vorort— von Essen zu bekommen.
9. Ei— Urlaub würden wir mehr in ei— Kleinstadt genießen, oder vielleicht auf d— Land—.
10. Wenn wir mit unse— eigen— Wagen fahren, dann können wir durch d— Rheintal fahren.

E Rewrite in the tense indicated

1. Ich habe keine Gelegenheit, die Schweiz zu besuchen. (Perfect)
2. Wahrscheinlich ist es Ihrer Aufmerksamkeit entgangen. (Present)

3. Hätten Sie einen so langen Brief geschrieben? (Future)
4. Du weißt besser Bescheid als ich. (Imperfect)
5. Es wurde in den Flammen des zweiten Weltkriegs zerstört. (Perfect)
6. Wir hatten Sie gebeten, uns eine Exportliste in DM zu schicken. (Present)
7. Fotokopien darüber lege ich bei. (Future)
8. Ich schlage vor, daß wir nach Essen fahren. (Imperfect)
9. Diese Firmen sind sehr wichtig für unser industrielles Wachstum. (Perfect)
10. Warum hat Herr Heller Fräulein Adams zu sich hereinkommen lassen? (Present)
11. Wir müssen ihm mitteilen, daß wir nicht kommen können. (Future)
12. Ich habe dieses Schild nicht verstanden. (Imperfect)

F Add the appropriate definite article

Using the rules for determining gender which are given in Chapters 12, 13 and 16, but without referring to the text.

Erfahrung, Drittel; Geschwindigkeit; Freitag; Wahrheit; Juni; Lehrerin; Königtum; Gold; Türkei; Geräusch; Eiche; Geheimnis; Ordnung; Sicherheit.

G Complete with the appropriate prepositions

1. Ich sehe — Ihrer Mappe, daß Sie die Firma Brinkmann vertreten.
2. Frankfurt kenne ich überhaupt nicht; ich bin — ersten Mal hier.
3. Bonn hat nichts Besonderes — der Universität und dem Beethovenhaus.
4. Am besten fahren Sie — der Eisenbahn.
5. Frau Schultze ist unsere Einkaufsleiterin und wird sich — Sie kümmern.
6. Ich habe schon sehr viel — das Schwabenland gelesen.
7. Heute abend schon geht meine Fahrt — Frankfurt weiter.
8. Es macht mir keine Mühe, Sie — Flughafen zu bringen.
9. Ich schlage vor, daß wir — Düsseldorf — Frankfurt — Stuttgart fahren.
10. Wir wollen — das ganze Ruhrgebiet fahren.
11. Freitag könnten wir weiter — Süden ziehen und etwas mehr — Bayern sehen.
12. Wir werden die Rheinfahrt — unserem eigenen Boot machen.

H Rôle-playing

Heller and Winklhuber are discussing travel in the future. Play the part of Winklhuber.

HELLER	Für welche Firmen wird sich der europäische Binnenmarkt besonders günstig auswirken?
WINKLHUBER	*(Probably business travel companies. I foresee a growth in air travel for business.)*
HELLER	Ab Ende 1999 aber, verlieren die Flughafenbehörden 50 Prozent ihrer Einnahmen aus dem Zollfrei-Geschäft. Das bedeutet teurere Fahrkarten — oder?

WINKLHUBER	(*Air travel is a very price-sensitive market. I think the airlines will find new things to sell to travellers.*)
HELLER	Das Beste ist, daß die Grenzpolizeien die Pässe nicht mehr kontrollieren dürfen, und das heißt — keine Staus, keine Wartezeiten.
WINKLHUBER	(*On the other hand this will make life easier for drug-dealers and terrorists.*)

GRAMMAR *Inseparable prefixes*

Inseparable prefixes are difficult and require patient study. It is very helpful in translation exercises to be aware of the force of these prefixes. The notes which follow are not intended to be exhaustive. They only deal with some of the aspects and meanings of the prefixes. Study each new inseparable verb as you come across it, and add your own notes to those we offer here.

be—
1. makes intransitive verbs transitive: *bezahlen, beantworten, beherrschen*
2. turns an adjective or noun into a verb meaning 'to cover with', 'supply': *beleuchten, beschmutzen, befruchten, bevölkern*

ent—
1. denotes origin, change, development: *entstehen, entwickeln, entwerfen*
2. forms opposites: *entspannen, entsichern, entdecken, entladen, entfalten, entfesseln*
3. denotes separation or deprivation: *entnehmen, entreißen*
4. with some verbs of motion has the force of 'to escape': *entfliehen, entkommen*

er—
1. denotes achievement, the successful completion or conclusion of an action; often has the force of acquiring something by an action: *erlernen, erkämpfen, ermöglichen, erwachen, erreichen*
2. can denote the beginning of an action: *erzittern, erklingen, erstrahlen*
3. has the force of 'doing to death': *ermordern, erschlagen, ertränken, ertrinken, erfrieren*

miß—
1. forms opposites: *mißglücken, mißfallen, mißachten, mißdeuten*
2. denotes something done incorrectly or badly: *mißlingen, mißhandeln*

ver—
1. can intensify the meaning: *verhören, verlassen, versprechen, verändern*
2. adds the sense of 'away': *verreisen, verjagen, vertreiben*
3. denotes making a mistake (in this sense it is often reflexive): *verwechseln, verpassen, sich verlaufen, sich versprechen*
4. denotes a way of spending time: *vertrinken, verplaudern, verbringen*
5. adds a negative or unfavourable sense: *verkennen, verschwenden*
6. forms the opposite of the root verb: *verachten, verblühen, verkaufen*

7. forms factitive verbs from adjectives, i.e. has the sense 'to make' + adjective: *verbessern, vereinfachen, verjüngen, verlängern, vertiefen*

zer— denotes 'apart', 'to pieces': *zerreißen, zerbrechen, zerstören, zerteilen, zerpulvern, zertreten*

USEFUL EXPRESSIONS

zugeben to admit, confess; *ich gebe zu, daß Sie recht haben.* Note also *zugegeben* — granted, admittedly, e.g. *zugegeben, es ist nicht viel, aber . . .*

Aufsicht haben über to have control of, to supervise

vorkommen *einem irgendwie (. . .) vorkommen* — to strike one (in a certain way); *es kommt mir merkwürdig vor* — it strikes me as odd

CHAPTER 16

Bewerbungsschreiben

Heller is in England once again. He gives some surprising news to the personnel manager (Leiter der Personalabteilung).

HELLER	Fräulein Adams hat gekündigt.
L.D.P.	Das ist ja schade. Sie ist eine sehr fleißige Mitarbeiterin. Ersatz wird sich nicht leicht finden lassen — oder haben Sie eine neue Sekretärin gefunden?
HELLER	Nein, noch nicht. Ich lasse morgen eine Anzeige in die Zeitung setzen.
L.D.P.	Wann will Fräulein Adams ihre Stellung aufgeben?
HELLER	In knapp vier Wochen. Wußten Sie nicht, daß sie heiraten will?
L.D.P.	Ich hatte keine Ahnung, daß sie überhaupt verlobt ist.
HELLER	Ja, Fräulein Adams hat ihr Privatleben immer ziemlich geheimgehalten, aber man hört, daß sie einen jungen Anwalt heiratet, und die beiden haben vor, nach der Hochzeitsreise sich in Hamburg seßhaft zu machen.

Bekanntes Export-Import Unternehmen sucht für den Verkaufsleiter eine

CHEF-SEKRETÄRIN

Wir suchen Bewerberinnen im Alter bis zu 30 Jahren, die Stenographie sowie Maschinenschreiben perfekt beherrschen. Müssen selbständig arbeiten können. Fließend deutsch vorausgesetzt.

Es ist uns daran gelegen, eine möglichst erfahrene Dame einzustellen, die mit gewinnendem Wesen, Charme und Überblick als 'rechte Hand' der Geschäftsleitung dafür sorgt, daß alles wie am Schnürchen läuft.

Wir bieten eine überdurchschnittliche Bezahlung, Urlaubsgeld und Fahrgeldzuschuß sowie eine vorbildliche Altersversorgung und verbilligtes Mittagessen aus eigener Kantine.

Schriftliche Bewerbungen mit Lebenslauf, Lichtbild, Zeugnisabschriften, Anfangstermin sowie Gehaltswunsch unter PO Box 127, Times.

Sehr geehrter Herr,

auf Ihr Stellenangebot in der 'Times' vom 13.06.92 bewerbe ich mich um die Stelle als Chef-Sekretärin des Verkaufsleiters und übersende Ihnen die erforderlichen Unterlagen.

Seit fünf Jahren bin ich als Sekretärin bei der Firma L.K. Johnson in Manchester tätig. Meine jetzige Stellung will ich aufgeben, weil ich aus privaten Gründen in Birmingham tätig sein möchte. Deutsch studierte ich an der Universität, und außerdem habe ich sechs Monate in Düsseldorf gearbeitet.

Als Referenz nenne ich Mr L.K. Johnson, Managing Director der Firma L.K. Johnson & Sons, 427 High Street, Manchester M20 3NY.

Ich würde mich freuen, wenn Sie meine Bewerbung in die engere Wahl ziehen könnten, und bin selbstverständlich gerne bereit, mich persönlich vorzustellen.

Mit vorzüglicher Hochachtung

Anlagen:
Lebenslauf
Lichtbild
Zeugnisabschriften

„*Sie sind genau der Mann, den ich gesucht habe.*"

NOTE: the terms used in German in connection with job adverts and applications are not immediately identifiable with their English equivalents. Thus 'pension scheme' is '*Altersversorgung*'; 'desired salary' is '*Gehaltswunsch*'; 'when (you would be) available' is '*Anfangstermin*'; and 'the short list' is *die engere Wahl*. N.B. do not confuse '*Unterlagen*' (documents) with '*Anlagen*' (enclosures).

Ⓐ Answer in German

1. Warum findet der Leiter der Personalabteilung es schade, daß Fräulein Adams gekündigt hat?
2. Warum hat Fräulein Adams gekündigt?
3. Wie wird Herr Heller eine neue Mitarbeiterin finden?
4. Wann wird Fräulein Adams ausscheiden?
5. Warum hat der Leiter der Personalabteilung keine Ahnung, daß Fräulein Adams heiraten will?
6. Welche Sprachen müssen Bewerberinnen beherrschen?
7. Was müssen die Bewerberinnen auch perfekt können?
8. Welche Unterlagen müssen Bewerberinnen ihrem Schreiben beilegen?
9. Warum will die Bewerberin ihre jetzige Stellung aufgeben?
10. Wo hat die Bewerberin so gut Deutsch gelernt?

Ⓑ Translate into German

1. My secretary has given in her notice.
2. It will be very difficult to find a replacement.
3. I will put an advert in the paper next week.
4. I had no idea that she was even engaged.
5. Applicants must speak fluent German and French.
6. Applications should include a curriculum vitae and a recent photograph.
7. Applicants must be capable of working unsupervised.
8. I studied French at the university, and worked for nearly a year in the north of Germany.
9. In Hamburg I worked as a secretary for an export company.
10. We offer a very good salary, 30 days' holiday, and help with relocation.

Ⓒ Explain in German

1. Ersatz wird sich nicht leicht finden lassen.
2. Hilfe beim Umziehen.
3. Eine Anzeige in die Zeitung setzen.
4. Muß selbständig arbeiten können.
5. Eine überdurchschnittliche Bezahlung.

Ⓓ Write in German your curriculum vitae.

E Choose two of the advertisements printed below, and translate
them into German for insertion into a newspaper.

The Central International Liaison

£10,500 plus excellent benefits

The international Marketing Director
of a fast-growing American computer
firm relocating to luxury offices in the
Harrow area seeks a P/A of German/
French origin, conversant in both
languages, in addition to English. If you
are aged 20-30, enjoy the camaraderie
of a lively office, a boss who delegates
and are keen to join a useful but professional
company providing a constant challenge,
contact Kim.

CENTRAL RECRUITMENT

PA/SECRETARY WITH LANGUAGES

For Marketing Director of International Research Consultancy
WC1. French essential, accurate shorthand typing. Age 23+
Lots of administration and typing and assisting with
organisation of busy sales office. Circa £10,400 negotiable.

Tel: Trevor Benthall 252 0323
or write to 28 Grantham Place, WC1

BI-LINGUAL SECRETARY

This is a post for a first-class, experienced, fluent bilingual
English/German Secretary with excellent secretarial skills,
telex experience, ability to work on own initiative and to
cope under pressure. Age pref 30+. Starting salary ca.
£13,000 p.a. Austrian Trade Association, 42 Knightsbridge,
London, W8.

FABRICS £10,00

PA/sec with savoir faire to work
for MD of international company.
Good skills, French and German
useful and lots of office administration. Plenty of client contact.
Not desk bound.

Top Jobs Bureau
(Rec Cons)
6294620/6294621

SECRETARY/PA

This position offers the opportunity of becoming involved in
the fascinating business of acquiring, developing and managing
new hotels world-wide, and will provide ample scope for
initiative.
You will be both secretary and right-hand assistant to the
Development Director of Flight Hotels – a division of Inter
Continental Hotels – with increasing emphasis on the PA role
as the job progresses.
This position demands an excellent telephone manner and a
fair measure of confidence, initiative and organisational ability
and, of course, good secretarial skills including shorthand/
audio, telex and word processing. A knowledge of European
languages would be an added advantage. It is unlikely that a
secretary under the age of 23 would have the degree of mat-
urity require.
We offer an excellent salary and conditions of employment to
the right applicant. Please send a detailed C.V. to Jenny Hall,
35/36 Bond Street, London W1.

SECRETARY/PA

Required for Export Sales Director
of small team of city based International Executives. Fluent French
essential, and a good knowledge of
German/Spanish desirable. The applicant will be expected to work on her/
his own & will frequently have to
exercise initiative. Salary negotiable
but will not be less than £9,500

Write enclosing C.V. to
Box 1030H
The Times

F Choose the post which interests you most, and write in German a
formal letter of application

G Rewrite the following sentences without using the word 'wenn'

1. Wenn die Nebenstellennummer bekannt ist, ist die Eins wegzulassen.
2. Wenn wir mehr Geld hätten, würden wir die Rheinfahrt mit unserem eigenen Boot machen.
3. Wenn der in England verlangte Ort im Selbstwählferndienst zu erreichen ist, können Sie die Verbindung selbst wählen.
4. Wenn man zum Schalter geht, kann man die Quittung erhalten.
5. Wenn eine Firma Durchwahl hat, kann man unmittelbar die Nebenstelle erreichen.

H Rôle-playing

A personnel officer is interviewing an applicant for the post of secretary. Play the part of the applicant:

L.D.P.	Wir suchen eine Bewerberin, die Stenographie und Maschinenschreiben perfekt beherrscht.
BEWERBERIN	*(You have worked for the last eight years for an export-import company in London. You were the managing director's secretary.)*
L.D.P.	Warum wollen Sie hier in Birmingham tätig sein?
BEWERBERIN	*(You are engaged and are soon to be married. Your future husband is working in Birmingham, and for that reason you would like to find work here too.)*
L.D.P.	Und wie ist es mit den Sprachkenntnissen? Sie wissen doch, daß fließend Deutsch vorausgesetzt ist?
BEWERBERIN	*(As he can see from your curriculum vitae, you have excellent German. You studied German language and literature at the university in Manchester, and you have worked for a year as an assistant in a German school in Kiel.)*
L.D.P.	Nun, unser Fräulein Adams will ihre Stellung in acht Tagen aufgeben. Wann können Sie bei uns anfangen?
BEWERBERIN	*(You have to give a week's notice to your present employer, and then you need time for the move from London to Birmingham. You do not think it is possible for you to take up this post before the 15th of this month. Incidentally, would this firm consider helping you financially with the move?)*

| GRAMMAR | *Gender of Nouns*
Conditional Clauses |

1. Neuter nouns are

   (a) Those ending in *—lein*, *—chen*, *—icht*, *—nis*, *—tel*, *—tum*:
   das Fräulein, das Mädchen, das Röslein, das Onkelchen;
   das Dickicht, das Erlebnis, das Ereignis (but N.B. die Erlaubnis);
   das Viertel (and other fractions, but N.B. die Hälfte);
   das Königtum, das Christentum, das Eigentum (but N.B. der Irrtum, der Reichtum).

   (b) Names of minerals and most chemicals:
   das Silber, das Blei, das Eisen, das Kupfer, das Chlor, das Jod, das Salz (but N.B. der Schwefel, der Stahl, der Sauerstoff, etc — because 'Stoff' is masculine).

   (c) Collective nouns beginning with *Ge—*:
   das Gebirge, das Gepäck, das Gehänge, das Gemüse, das Gelände, das Gerät (but N.B. der Gesang, die Geschichte).

   (d) Most countries and continents, and all towns except den Haag:
   das alte Wien, das kranke Europa, das schöne Griechenland.
   However, countries with names ending in *–e*, *–ei*, *–z* are feminine:
   die Türkei, die Tschechoslowakei, die Ukraine, die Normandie, die Schweiz, die Pfalz.

2. In conditional sentences, *'wenn'* may be omitted when the condition precedes the result, in which case the verb begins the sentence, and the result clause is usually introduced by 'so':
   Hätte ich nur Geld genug, so würde ich es kaufen.
   Geht man früh zur Bäckerei, so bekommt man warme Brötchen.

USEFUL EXPRESSIONS

Ersatz wird sich nicht leicht finden lassen	It will be difficult to find a replacement — an example of the German predilection for using a reflexive form where English might expect a passive, cf. *es läßt sich nicht leugnen* —it cannot be denied.
alles läuft wie am Schnürchen	everything runs smoothly / like clockwork.

CHAPTER 17

Im Reisebüro

Frau Schultze is at the travel agent's asking the assistant's advice about a proposed holiday in Britain.

FRAU SCHULTZE Ich möchte im Laufe eines Monats soviel wie möglich sehen, aber vor allen Dingen will ich schlechtes Wetter vermeiden: hoffentlich läßt sich das machen.

ANGESTELLTE Juni ist an sich ein verhältnismäßig trockener Monat, aber es ist kaum vorstellbar, daß in England ein ganzer Monat ohne Regen verlaufen könne.

FRAU SCHULTZE Wo würden Sie sagen, daß man im Juni die meiste Sonne und den wenigsten Regen hat?

ANGESTELLTE Ostanglien soll so gut wie niederschlagsfrei sein und hat auch viel Sonne.

FRAU SCHULTZE Also, ich muß zunächst einen Besuch in London machen, dann fahre ich direkt nach Ostanglien. Welche Orte würden Sie für Übernachtungen empfehlen?

ANGESTELLTE Auf jeden Fall Cambridge und Norwich: das sind zwei der schönsten Städte in ganz England.

FRAU SCHULTZE Danach wäre es ratsam, nach Nordengland zu fahren, finden Sie nicht? Welche Städte würden Sie für einen Aufenthalt empfehlen?

ANGESTELLTE Nun, York ist ganz hervorragend, und von dort aus können Sie in Tagesausflügen die schönste Landschaft sehen, die England überhaupt zu bieten hat.

FRAU SCHULTZE Wissen Sie zufällig, wie die langfristige Wettervorhersage für England lautet?

ANGESTELLTE Ja, das Radio sagt, daß man für Juni nur vereinzelt leichte Schauer mit Höchsttemperaturen über zwanzig Grad erwarte: das ist für Sie sehr günstig.

FRAU SCHULTZE Und wenn ich anschließend nach Schottland fahre, wie könnte ich am besten in einer Woche das ganze Land kennenlernen?

ANGESTELLTE Ich halte zwei-drei Tage in Edinburg für unerläßlich, dann können Sie ins schottische Hochland fahren und an der Westküste entlang zurück ins englische Seegebiet, aber Sie werden kaum Zeit haben, die Inseln zu besuchen, und höchstwahrscheinlich werden Sie dabei etwas Regen haben.

FRAU SCHULTZE	Ich muß also auf die Hebriden verzichten; aber glauben Sie, daß es der Mühe wert ist, einige Tage im Seengebiet zu verbringen?
ANGESTELLTE	Mir persönlich hat es sehr gefallen, obwohl meine Freunde sagten, daß der Regen ihren Urlaub völlig verdorben habe.
FRAU SCHULTZE	Nachher werde ich mich ohnehin in Südwest-England erholen!

NOTE: A typical radio weather forecast (but not for June!)

Das Wetter für Nord— und Westdeutschland: zunächst bedeckt, und vor allem in Westfalen und in Niedersachsen Regen, der sich im Tagesverlauf auch auf Schleswig-Holstein ausweitet. Hier bei Temperaturen knapp über dem Gefrierpunkt anfangs streckenweise Glatteis. In der zweiten Tageshälfte von Westen her zögernder Übergang zu wechselnder Bewölkung mit Aufheiterungen und nur noch vereinzelt leichte Schauer. Höchste Temperaturen in Nordrhein-Westfalen und Niedersachsen fünf bis acht, in Schleswig-Holstein und im Bergland drei Grad. Nachts nur geringer Temperaturrückgang. Mäßiger bis frischer und böiger Wind aus Südost bis Südwest. Am Dienstag und Mittwoch leicht unbeständig, weiterhin mild. Die Windvorhersage: Deutsche Bucht Ost bis Südost sechs, diesig, Küstennebelfelder; westliche Ostsee Ost bis Südost sechs, Nebel.

Ⓐ Answer in German

1. Was will Frau Schultze vermeiden?
2. Gibt es in England viel Regen im Juni?
3. In welchem Gebiet hat man den wenigsten Regen?
4. Wohin muß Frau Schultze zunächst fahren?
5. Welche Städte in Ostanglien empfiehlt die Angestellte?
6. Welche Stadt in Nordengland ist hervorragend?
7. Was kann man von dort aus machen?
8. Wie lautet die langfristige Wettervorhersage für England?
9. Wohin will Frau Schultze von Nordengland aus fahren?
10. Was für eine Route schlägt die Angestellte für Schottland vor?
11. Worauf muß Frau Schultze verzichten?
12. Wo wird sie nach der Schottlandreise einige Tage verbringen?

Ⓑ Translate into German

1. East Anglia is supposed to have practically no rainfall.
2. Those are two of the most beautiful towns in Scotland.
3. It would be advisable to drive to Edinburgh.
4. From there you could take day trips.
5. The long-range weather forecast is favourable.
6. Only light scattered showers are expected.

7. He thinks two or three days in York are a must.
8. We'll hardly have time to visit the Hebrides.
9. Is it worth the trouble of spending a few days there?
10. Her friends said the rain had completely spoilt their holiday.

C Put the following sentences into reported speech

Example: Er sagt: 'Im Juni hat man die meiste Sonne dort.'
Er sagte, daß man im Juni dort die meiste Sonne habe.

1. Das Radio sagt: 'Für Juni erwartet man Höchsttemperaturen über zwanzig Grad.'
2. Sie fragte: 'Wie kann ich am besten ganz Schottland kennenlernen?'
3. Er antwortete: 'Der Regen hat unseren Urlaub völlig verdorben.'
4. Herr Heller behauptete: 'Mein Partner muß mir das Geld schicken.'
5. Die Sekretärin meinte: 'Der Chef wird bald kommen.'
6. 'Dieses Büro,' sagte er, 'ist erst seit kurzem eröffnet.'
7. Ich fragte ihn: 'Was hast du verloren?'
8. 'Im größten Raum,' erklärte er, 'werden die Tischpressen installiert.'
9. 'Wann werde ich Sie wiedersehen?' fragte er mich.
10. 'Den Brief habe ich schon geschrieben,' sagte er.

D Other uses of the subjunctive. Translate into German

1. If only I knew!
2. Be that as it may.
3. Take two tablets after meals.
4. That could well be true.
5. I should like to have gone.
6. Not that I know.
7. Thank Heavens!
8. Long live freedom!

E Combine the two sentences, using the conjunction indicated

Example: Es hat mir gut gefallen. Meine Freunde waren damit nicht zufrieden. (obwohl)
Es hat mir gut gefallen, obwohl meine Freunde damit nicht zufrieden waren.

1. Ich fahre anschließend nach Schottland. Wie könnte ich am besten das ganze Land kennenlernen? (wenn)
2. Ich muß zunächst London besuchen. Ich habe dort Geschäftsfreunde. (weil)
3. Bitte, bleiben Sie angeschnallt. Das Flugzeug ist zum Stillstand gekommen. (bis)
4. Er weiß nicht. Er kann morgen fahren. (ob)
5. Die Tür war geschlossen. Er fuhr vorbei. (als)
6. Sie hat einen Unfall gehabt. Sie hatte das Auto gemietet. (nachdem)

7. Er stand lange an der Ecke. Er wartete auf jemand. (als ob)
8. Tante Sophie brachte die Nachricht. Unsere Oma war plötzlich gestorben. (daß)
9. Sie hat gut gegessen. Sie fuhr nach Hause. (bevor)
10. Ich habe keine Ahnung. Wir können es finden. (wie)

🅕 Translate into English

1. Gelsenkirchen ist an sich keine schöne Stadt.
2. Das sind die teuersten im ganzen Laden.
3. Dafür brauche ich drei-vier Stunden.
4. Damit ist die Sache so gut wie erledigt.
5. Cambridge ist vor allen Dingen eine Universitätsstadt.
6. Man erwartet Höchsttemperaturen zwischen 19 und 21 Grad.
7. Die langfristige Wettervorhersage ist nicht besonders zuverlässig.
8. Im Seengebiet vereinzelt leichte Schauer, sonst niederschlagsfrei.
9. Er meint, es sei nicht der Mühe wert.
10. Den Dom mußt du auf jeden Fall besichtigen.

🅖 Rôle-playing

Herr Heller is enquiring about a holiday in Austria. Play the part of the assistant.

HERR HELLER	Ich möchte einige Tage in Wien, Salzburg und Innsbruck verbringen, und zwischendrin etwas vom Salzkammergut und Kärnten sehen, geht das?
ANGESTELLTE	*(If he has at least three weeks at his disposal, that can easily be done.)*
HERR HELLER	Schön. Ich werde wohl am besten nach Wien fliegen, oder?
ANGESTELLTE	*(You would suggest that he fly to Innsbruck, as the distance is shorter and the flight price cheaper.)*
HERR HELLER	Das wäre mir nie eingefallen, aber Sie haben vollkommen recht, Danke!
ANGESTELLTE	*(In what sort of hotels does he wish to stay? First class or family hotels?)*
HERR HELLER	Für einen Urlaub ziehe ich Familienhotels vor, sie sind gemütlicher.
ANGESTELLTE	*(You have a list of them here, and will mark with a cross the ones you know to be good.)*
HERR HELLER	Sehr gut. Und könnten Sie von hier aus die Hotels buchen? Ich möchte soviel wie möglich im voraus erledigen.
ANGESTELLTE	*(No problem, but he will only be able to stay in Salzburg after the end of the Festival. Until then everything is already fully booked.)*
HERR HELLER	Schade — ich hätte gern einmal den 'Jedermann' gesehen. Ist das möglich mit einem Tagesausflug von irgendeinem Außenbezirk, oder sind schon alle Vorstellungen ausgebucht?

ANGESTELLTE	*(There are usually a few seats available every day, you will look into it.)*
HERR HELLER	Also, ich komm' Mittwoch mal wieder vorbei, wenn Sie inzwischen die nötigen Auskünfte auftreiben können.
ANGESTELLTE	*(You will have everything ready for him including the air ticket.)*

Ⓗ Guided conversation

With the help of the following information record or write a summary of the dialogue:

Frau Schultze will einen Urlaub in Großbritannien planen. (Wie lange bleibt sie dort? Was will sie auf jeden Fall vermeiden?) Die Angestellte bezweifelt, ob sich ihr Wunsch erfüllen lasse. Frau Schultz fragt, wo das beste Wetter zu finden sei. Die Angestellte empfiehlt Ostanglien. Frau Schultze erklärt, daß sie zunächst einen Pflichtbesuch machen müsse, (Wo?) und dann nach Ostanglien fahren werde. Die Angestellte erwähnt zwei Städte dort. (Welche? Warum?) Für Nordengland schlägt die Angestellte York als Aufenthaltsort vor. (Aus welchen Gründen?) Frau Schultze erkundigt sich nach dem Wetter, und erhält befriedigende Antworten. Dann bittet sie um Rat für eine Schottlandreise. Die Angestellte macht Vorschläge. (Welche? Was hält sie für unerläßlich?) Frau Schultze entscheidet sich für einige Tage im Seengebiet. (Wo wird sie sich nachher erholen?)

GRAMMAR *The Subjunctive*

The commonest form of the subjunctive in German is the imperfect subjunctive of 'werden' — 'würde', which is used as an auxiliary to form the conditional tense (see Chapter 2 Grammar). Apart from this, the subjunctive is most frequently met in the subordinate clauses of indirect or reported speech:

DIRECT SPEECH	INDIRECT SPEECH
Sie sagen: 'Der Regen hat unseren Urlaub verdorben.'	Sie sagten, der Regen habe ihren Urlaub verdorben.
Er sagte: 'Ich werde ihm schreiben.'	Er sagte, er werde ihm schreiben.

The tense of the subjunctive in indirect speech should be the same as that of the original direct speech, provided that the subjunctive and indicative forms are different; as weak verbs have the same form in the imperfect indicative and subjunctive, the present subjunctive should be used in indirect speech with them:

'Peter spielt mit Karl.'   Er sagte, Peter spiele mit Karl.

The subjunctive sometimes occurs in main clauses expressing a wish or instruction; these are usually set expressions:

Es lebe die Königin!   Gott sei Dank!   Dem sei, wie es wolle.
Gott behüte!   Man nehme einen Liter Milch, 4 Eier . . .

USEFUL EXPRESSIONS

verhältnismäßig	relatively, *mäßig* (cf. *Gemäß*, according to) is used to form many such compounds: *regelmäßig* (regularly); *vorschriftsmäßig* (according to regulations); *gehaltsmäßig* (salary-wise).
langfristig	long-term, cf. *kurzfristig* — short-term; *die Frist* is a period of time, cf. *Bindefrist, Lieferfrist.*
unerläßlich	indispensable, essential, cf. *der Erlaß* — decree

CHAPTER 18

Die Hellers haben Besuch

The Hellers are expecting a visitor from Germany. The doorbell rings.

HELLER	Ach, Frau Schultze! Herzlich willkommen! Kommen Sie doch 'rein. Unser Haus hat sich leicht finden lassen, oder?
FRAU SCHULTZE	Kein Problem. Der von Ihnen geschickte Stadtplan war mir eine große Hilfe.
HELLER	Und wie war es mit dem Verkehr? Darf ich Ihren Mantel nehmen?
FRAU SCHULTZE	Danke. Ja, ich habe mich von meinem Agenten frühzeitig verabschiedet. Dann hat alles gut geklappt.
HELLER	Wunderbar. So, kommen Sie ins Wohnzimmer. Darf ich Ihnen meine Frau vorstellen?
FRAU SCHULTZE	Sehr erfreut, Frau Heller.
FRAU HELLER	Ich bin sehr erfreut, Sie kennenzulernen, Frau Schultze. Ich freue mich sehr, Sie in England begrüßen zu können. Mein Mann hat begeistert davon erzählt, wie freundlich man ihn in Stuttgart aufgenommen hat. Fühlen Sie sich bei uns wie zu Hause.
HELLER	Was darf ich Ihnen anbieten, Frau Schultze? Einen Sherry vielleicht oder einen Whisky?
FRAU SCHULTZE	Gerne. Ein Sherry käme mir gerade recht.

(The Hellers and their guest are sitting at table. A very pleasant evening is coming to an end.)

HELLER	In der Bundesrepublik haben in der Wirtschaft Frauen bereits Chancengleichheit erreicht.
FRAU SCHULTZE	Auf den ersten Blick; doch sind Frauen in leitenden Wirtschafts-positionen noch immer eine verschwindend kleine Minderheit. Selbst Unternehmen, wo mehr als die Hälfte der Mitarbeiter Frauen sind, werden zu mehr als 95 Prozent von Männern regiert.
FRAU HELLER	Sagen Sie, Frau Schultze, woher stammen Sie?
FRAU SCHULTZE	Ich bin geborene Österreicherin. Meine Heimatstadt ist Linz.
FRAU HELLER	Ach so. Und Sie sind mit einem Deutschen verheiratet, deshalb sind Sie in Stuttgart beschäftigt?
FRAU SCHULTZE	Ehemals. Ich bin jetzt geschieden.

Finnischer Alptraum von Europas Binnenmarkt

FRAU HELLER	Verzeihung. Ich meinte nur . . .
FRAU SCHULTZE	Nichts zu verzeihen. Es ist schon lange her.
HELLER	Noch eine Tasse Kaffee, Frau Schultze?
FRAU SCHULTZE	Danke, danke. Es wird schon spät, und ich muß leider nach London zurück. Ich bedanke mich für die herzliche Aufnahme und freue mich schon auf ein baldiges Wiedersehen in Stuttgart.
FRAU HELLER	Es war mir ein Vergnügen, Ihre Bekanntschaft zu machen. Auf Wiedersehen!
FRAU SCHULTZE	Auf Wiedersehen, Frau Heller!

Ⓐ Answer in German

1. Wie hat Frau Schultze das Haus der Hellers so leicht finden können?
2. War viel Verkehr auf den Straßen, als Frau Schultze aus London hinausfuhr?
3. Wovon hatte Heller mit Begeisterung erzählt?
4. Was trinkt Frau Schultze gern?
5. Wo ist Frau Schultze geboren?
6. Was ist sie für eine Landsmännin?
7. Mit wem ist Frau Schultze verheiratet?
8. Haben die Frauen in der BRD Chancengleichheit erreicht?
9. Was ist es Frau Schultze gelungen?
10. Warum trinkt Frau Schultze keine zweite Tasse Kaffee?

ⓑ Translate into German

1. Do come into my office; you are most welcome.
2. Did you have any problem finding our factory?
3. The maps which you sent me were very helpful.
4. I left the Frankfurt Fair early and avoided the traffic.
5. I was given a very warm reception in London.
6. I do not like whisky. I should prefer a glass of beer.
7. I was born in Manchester, but now I live in London.
8. I have two daughters. They are both students at Oxford.
9. Would you like another glass of beer?
10. It has been a great pleasure to meet you.

ⓒ Explain in German

1. Der von Ihnen geschickte Stadtplan.
2. Wie war es mit dem Verkehr?
3. Es hat alles gut geklappt.
4. Was darf ich Ihnen anbieten?
5. Ein Sherry käme mir gerade recht.

ⓓ Complete with the correct form of the appropriate verb

1. Die Firma Zehnpfennig (bestehen? entstehen? verstehen?) schon seit fünfzig Jahren.
2. Bei dem Erdbeben sind viele Menschen (bekommen? entkommen? umkommen?)
3. Er konnte sich nicht (beschließen? entschließen? erschließen?), ihr mitzuteilen, daß er in sie (verleben? verlieben? verloben?) sei.
4. Marie und Pierre Curie haben das Radium (bedecken? entdecken? verdecken?).
5. Er hat sich darüber nicht (aussprechen? besprechen? versprechen?); er wollte sich erst (bedenken? umdenken? verdenken?).
6. Letztes Jahr haben wir den Urlaub in Freiburg (erbringen? umbringen? verbringen?).
7. Du bist so reich, du brauchst dich nicht jeden Tag zur Arbeit (begeben? ergeben? vergeben?).
8. Ich habe keine Zeit zum Lesen gehabt, und habe die deutsche Sprache (erlernen? umlernen? verlernen?).
9. Verzeihung, ich muß jetzt gehen: ich muß mich noch fürs Theater (beziehen? entziehen? umziehen?).
10. Ich habe erst heute deinen Brief (behalten? enthalten? erhalten?).

ⓔ Complete

Dies— tausendjährig— Stadt mit ihr— historisch gewachsen— Schönheit ist weit weg vom Alltag. Traditionsbewußt und reich an kulturell— Erbe, aber aufgeschlossen für d—

Komfort unse— Zeit. Sie liegt in idyllisch— Heidelandschaft; ist ausgestattet mit d—
ganz— Angebotsbreite ein— modern— Stadt. Hier finden Sie jed— Kategorie von
Unterkünft—. Für jed— Geldbeutel. Für all— Ansprüche. Unse— Gasthäuser bieten
noch d— Gastlichkeit wie man sie in gut— alt— Zeit kannte.

F Translate the advertisement above (Exercise E) into English.

G Rôle-playing

You are entertaining a German to dinner in your home.

YOU	*(There he is at last. Invite him in. He is very welcome. You were afraid he had got lost in this strange town.)*
GUEST	Nein, der von Ihnen geschickte Stadtplan war mir eine große Hilfe.
YOU	*(You ask for his coat. Ask him if there were many people on the train.)*
GUEST	Nein. Ich bin frühzeitig von der Messe weggefahren. Es hat alles gut geklappt.
YOU	*(Ask him to come through to the lounge. You would like to introduce him to your husband/wife.)*
GUEST	Sehr erfreut.
YOU	*(What can you offer him to drink? You have whisky, sherry, or if he prefers it, a bottle of beer.)*
GUEST	Englisches Bier mag ich sehr.
YOU	*(Are you right in thinking he was born in Frankfurt?)*
GUEST	Nein, ich bin geborener Stuttgarter. Ich bin in Frankfurt angestellt.
YOU	*(Of course, you remember now. Suggest that you all go through to the dining room. Perhaps he would like to take his drink with him.)*

H Guided conversation

With the help of the following information record or write a summary of the dialogue, using indirect speech throughout:

Frau Schultze ist frühzeitig angekommen. (Wie hat sie das Haus der Hellers so leicht
gefunden? Wir war es mit dem Verkehr?) Herr Heller macht Frau Schultze mit seiner
Frau bekannt. (Was sagt Frau Heller? Wovon hat Heller mit Begeisterung erzählt?)
Heller bietet Frau Schultze etwas zu trinken an. (Was trinkt Frau Schultze gern? Was
hätte sie sonst trinken können?) Frau Schultze wohnt in Stuttgart. (Was ist sie für eine
Landsmännin? Wo ist sie geboren? Wo ist sie jetzt tätig?) Frau Schultze ist Leiterin.
(Haben deutsche Frauen Chancengleichheit?) Frau Schultze will nichts mehr trinken.
(Warum nicht? Wohin muß sie jetzt fahren?)

GRAMMAR *Adjectival Phrases*

In German a long adjectival phrase may be used between an article and a noun, where English would require a whole clause. The phrase will end with a present or (more commonly) past participle declined adjectivally, which may be qualified by other adjectival or adverbial expressions:

Der von Ihnen geschickte Stadtplan   Die von Ihnen verlangten Hängewaagen
Diese sehr ernst gewordene Situation   Der zuviel bezahlte Betrag
Das uns nahestehende Werk William Johnson & Sons
Die Anzahl der in Großbritannien aufgestellten Roboter
Wir werden hier überall von riesigen mir unbekannten Gesichtern angelächelt

This construction, though relatively uncommon in everyday conversation, is of the utmost importance in the commercial use of German. Further examples may be found in Chapter 9.

USEFUL EXPRESSIONS

klappen — to work out well, go smoothly: *es hat gut geklappt* — it went without a hitch; *bis jetzt klappt alles* — so far everything is just fine

einem etwas anbieten — to offer someone something

eine freundliche Aufnahme bereiten — give a warm welcome

CHAPTER 19

Kooperationsgesuch

Heller is in discussion with a German lawyer.

HELLER
Meines Erachtens gibt es für uns ausgezeichnete Wachstums-
gelegenheiten in Deutschland, und ich frage mich, wie wir diese
Möglichkeiten völlig ausnützen können. Als Mitgliedstaat der EG
bietet die BRD keine wesentliche Hindernisse auf. Doch haben viele
eventuelle Kunden gesagt, sie würden davon abgehalten, britische
Waren zu bestellen wegen unserer fragwürdigen Liefertreue; weiter
würden sie weniger Angst haben, wenn wir einige Niederlassungen
hätten. Wie können wir uns am besten in Deutschland niederlassen?

RECHTSANWALT
Das deutsche Handelsgesetz über das Einrichten von
Zweigniederlassungen ist ganz einfach — es bedarf nur der
Genehmigung des Wirtschaftsministeriums — und das ist gewöhnlich
reine Formsache. Die Eintragung in das Handelsregister erfolgt
jedoch nur langsam und kann Kosten verursachen. Ich würde Ihnen
davon abraten, Zweigniederlassungen in Betracht zu ziehen.

HELLER
Wie ist es mit Tochtergesellschaften?

RECHTSANWALT
Es gibt mehrere Möglichkeiten, doch für Ausländer bleibt die Wahl
praktisch zwischen einer Aktiengesellschaft (AG) und einer
Gesellschaft mit beschränkter Haftung (GmbH). Sie können schnell,
einfach und billig errichtet werden. Wenn es so weit kommt, erteilen
die Industrie — und Handelskammern nähere Auskünfte über die
Gründung und die Kosten.

HELLER
Ich habe trotzdem Angst vor den damit verbundenen Problemen wie
z.B. Belegschaft aussuchen, Geschäftsgrundstück aussuchen.

RECHTSANWALT
Na ja, es gibt noch eine Wahl: Sie können mit deutschen Firmen
Kontakt suchen, die daran interessiert sind, mit Ihnen in der Form zu
kooperieren, daß Ihre Erzeugnisse vertrieben oder in Lizenz in der
BRD gefertigt werden, oder aber einen gegenseitigen Vertrieb der
Produkte beider Partner organisieren.

HELLER
Das letzte finde ich sehr interessant. Eine Art gegenseitige Vertretung.
Ja, das mache ich. Ich stelle eine Liste passender deutscher Firmen auf,
und übersende ihnen unsere Prospekte, um unsere Firma kurz
vorzustellen.

Ⓐ Answer in German

1. Warum stellt Deutschland englischen Firmen keine Kindernisse zum Wachstum entgegen?
2. Warum haben manche eventuelle Kunden Befürchtungen, in England Bestellungen aufzugeben?
3. Wie kann eine englische Firma diese Angst vermindern?
4. Was hat der Rechtsanwalt gegen Zweigniederlassungen?
5. Was sind die zwei Möglichkeiten für Tochtergesellschaften?
6. Was sind die Vorteile dieser Tochtergesellschaften?
7. Wo findet man weitere Auskünfte über die Gründung solcher Tochtergesellschaften?
8. Welche Probleme sind mit Tochtergesellschaften im Ausland verbunden?
9. Welcher Vorschlag interessiert Heller am meisten?
10. Was will er jetzt tun?

Ⓑ Translate into German

1. We must make the most of these opportunities.
2. There are no real problems.
3. It is usually just a formality.
4. I would advise against it.
5. Don't even think about it.
6. Your products can be made under licence in Germany.
7. They hesitate to buy our products.
8. It is quite simple to set up a subsidiary.
9. There are several possibilities.
10. You can get more detailed information from the Chamber of Commerce.

Ⓒ Letter Writing

Compose a letter in German, for Heller's signature, in which you are to make an approach to a German firm along the lines of the last of Heller's remarks on page 113.

Ⓓ Insert the appropriate preposition

1. — ungünstigen Wetters hat Frau Schultze keinen Mantel getragen.
2. — der monatlichen Zusammenkunft der Verkaufsabteilung ist Herr Heller eingeschlafen.
3. Frau Schultze, wollen Sie morgen — uns — Mittag essen?
4. Herr Heller konnte die Fabrik nicht finden und mußte — dem Weg fragen.
5. Sie sollen sich seine Worte nicht — Herzen nehmen; er spricht nur so.
6. Herr Heller hat Fräulein Adams entlassen; in ihrer Arbeit waren Fehler — Fehler.
7. 'Zum Roten Löwen'? Ja, fahren Sie diese Straße — biegen Sie — der Kirche links ab, — der Post —, dann immer geradeaus.

8. Ich habe ihm geschrieben, bin aber — meinen Brief noch — Antwort.

9. Vorsicht, lieber Freund! — das zuviele Rauchen wirst du noch krank werden.

10. Macht nichts. Whisky ist ein ganz gutes Mittel — Husten.

E Rewrite, replacing the words in italics with an adjectival phrase

Example: Der Stadtplan, *den ich überreichte*, war ihr eine große Hilfe.
Der von mir überreichte Stadtplan war ihr eine große Hilfe.

1. Der Zug, *der um zwei Stunden verspätet war*, fuhr endlich ein.
2. Mein Sohn, *der sehr groß geworden ist*, wollte seine Tante nicht umarmen.
3. Die Prospekte, *die von Ihnen verlangt wurden*, legen wir bei.
4. Die Modelle, *die in England lieferbar sind*, sind veraltet.
5. Die Dame, *die durch ihre wunden Füße behindert war*, kam endlich an.
6. Die Firma Braun, *die uns immer hilfreich ist*, können wir empfehlen.
7. Die Muster, *die er geschickt hat*, finden wir höchst interessant.
8. Ich kann leider die Erzeugnisse, *die Sie anbieten*, nicht gebrauchen.
9. Wir fuhren durch eine Landschaft, *die von hohen Bergen umrahmt war*.
10. Wir gingen durch ein Dorf, *das im Abendlicht finster aussah*.

F Complete

1. Wir haben jetzt — Wichtigste gesehen.
2. — Ob und Wie können wir später besprechen.
3. Du solltest nicht ein so grell— Weiß dies— zarten Blau gegenüberstellen.
4. — harte 'Sie' hatte ihn verletzt.
5. — Unerwartete ist eben geschehen.
6. — Wandern ist des Müllers Lust.

G Explain in German the difference between the following pairs of expressions

1. betragen   beitragen
2. Zugangsziffer   Ortsnetzkennzahl
3. wunderbar   wunderlich
4. Bescheid   Auskunft
5. Aufsicht haben   beaufsichtigen
6. bewölkt   heiter
7. eine Nummer wählen   eine Regierung wählen
8. Besuch   Besichtigung

Ⓗ Find out who the following are

Quite naturally, Germans will be impressed if you can speak with some knowledge about their domestic and political scene. A good beginning would be to know the names of the principal politicians.

The President
The Chancellor
The Foreign Minister
The Finance Minister
The Minister of Education

Ⓘ Translate into German

Dear Erika,
I have had the most exciting time. As I told you, I couldn't drive north until I had visited business friends in London. I had no trouble finding their house, thanks to the map of London which you so kindly lent me.

The following Tuesday I went up to Cambridge for a few days. If you get a chance you must pay a visit to this famous university town. There is so much worth seeing, and in East Anglia there is practically no rainfall worth worrying about. Driving on northwards, I spent some time in York, which was most impressive. To appreciate York fully, you really have to spend at least a week there.

Finally I went to Edinburgh and did the sights of this famous city. I also managed to see something of the beautiful Scottish countryside.

Throughout my holiday the weather was good. Travelling by road in England is quite fast on the motorways, but not, of course, as fast as in Germany. Unfortunately, when one leaves the motorway, one finds the English roads narrow and congested. Progress was slow.

Do come to see us as soon as you can. I have so many holiday snaps and souvenirs that I want to show you.
All my love,

Renate

GRAMMAR *Other parts of speech used as nouns*

Other parts of speech are sometimes used as nouns, in which case they are nearly always neuter. The commonest instances are infinitives (*das Schreiben*, *das Sprechen*) and past participles (*das Geschriebene*, *das Gesprochene*); but adjectives, prepositions, pronouns, adverbs and conjunctions also occur in this way:

Die Absicht der Alliierten war zum Scheitern verurteilt.

Was auch immer das historische Für und Wider sein mag.

Das ewige Hin und Her finde ich sehr ermüdend.

Er hat mir das Du angeboten.

Ein endgültiges Nein ist das noch nicht.

Das Gute und das Böse lassen sich nicht immer so leicht unterscheiden.

Wir müssen das Pro und Kontra diskutieren.

USEFUL EXPRESSIONS

Liefertreue	This is difficult to translate in a single word. British industry had a reputation for not meeting its delivery dates, and the concept of '*Liefertreue*' is a measure of the reliance a customer may place on the promised delivery dates given by the supplying company.
jetzig	present, current (from *letzt*), cf. *heutig* (today's, present day) and *gestrig* (yesterday's, former). Note also *dortig* (from *dort*) and *obig* — the above, a neat way of translating 'the above-mentioned' e.g. *Ihr obiges Schreiben.*
es liegt auf der Hand	it is obvious, it is plain
ein Minderwertigkeitskomplex	an inferiority complex
Vermögens— und Größenunterschiede	differences of wealth and size.

Background Section

These texts, selected from various German and Swiss newspapers, are on topics of general interest in the areas of education, medicine, economics, weather and politics. They contain a few words which are not given in the vocabulary at the end of the book, since at this stage we feel that the student should be encouraged to use a dictionary. They are suitable for use either in class or as homework for comprehension, summarising and discussion.

1. In diesem Winter hat nichts so richtig geklappt

In Jerusalem hat's geschneit, in Tokio und in Seoul auch – und hierzulande? Nichts weiter als mal Regen, mal Sonne, dann ein Orkan und ansonsten milde Frühlingstemperaturen. Das Gras wächst, die Bäume schlagen aus, während die ersten Krokusse bereits ihre Köpfe ans Licht schieben. Schon wieder ein Winter, der bislang keiner war und wohl auch keiner mehr werden wird. Und ein Vater stellt fest, daß sein Sohn — inzwischen kindergartenreif — noch nie Schnee angefaßt hat.

Mit viel Glück hätte der Vater seinem Sohn in diesem dritten Nicht-Winter in Folge das erste Gefühl vom weißen, gefrorenen Naß sogar verschaffen können: Wie Ulrich Otte, Diplom-Meteorologe beim Wetteramt Essen, festgestellt hat, gab es auf dem Kahlen Asten irgendwann im Laufe der vergangenen Wochen mal eine dünne Schneedecke von zehn Zentimetern. Die hielt aber nur kurz. Dann kam wieder der große Regen und matschte alles zusammen. Schnee im Flachland? Fehlanzeige. Auch Eistage (Temperaturen unter Null über einen Zeitraum von 24 Stunden) gab es auf dem platten Land nicht. Auf dem Kahlen Asten allerdings zählte Otte im Januar gut ein Dutzend solcher Tage.

Für die Meteorologen endet der Winter am 28. Februar. Deshalb sei es einerseits noch zu früh für eine wirkliche Winterbilanz, meint Otte. Andererseits lasse sich schon jetzt sagen, daß der Winter am Ende 'erheblich zu warm' gewesen sein wird: Für die kommenden sechs bis sieben Tage sei nicht mit einer nennenswerten Abkühlung zu rechnen. Was dann noch an Winterzeit bleibe, könne sozusagen den Kohl auch nicht mehr fett machen. Der Dezember war im Durchschnitt um 1,5 bis drei Grad zu warm, der Januar zwischen zwei und drei Grad. Außerdem fiel weniger Niederschlag als im langjährigen Durchschnitt. Und die Sonne schien auch seltener — nichts hat offenbar so richtig geklappt.

'Frost ist der beste Ackermann,' besagt eine alte Bauernweisheit. Er sorgt dafür, daß der Boden der Felder gleichmäßig feinkrümelig wird. Das erleichtert den Bauern die Bearbeitung. Außerdem reguliert er die Menge der Schädlinge. Tatsächlich: 'Alles wächst munter weiter, die Kulturpflanzen wie die Unkräuter,' beschreibt Bernhard Rüb von der Landwirtschaftskammer Rheinland die Lage. Was für die Bauern bedeutet, daß sie keineswegs erst im Märzen, sondern schon jetzt ihre (Diesel)Rößlein anspannen. Denn das viel zu früh wachsende Getreide muß bald gedüngt werden, damit es groß und stark wird. Pilzerkrankungen machen den Pflanzen zu schaffen. Und die Blattläuse, die prima durch den Winter gekommen sind, machen sich ans Werk, das gefürchtete 'Gelbverzwergungsvirus' zu verbreiten. Es wird Ertragseinbußen geben. Die moderne Landwirtschaft ist zwar einigermaßen gegen Unordentlichkeiten in der Jahreszeitenfolge gewappnet. Doch die Bauern erinnern sich jetzt doch dunkel an eine weitere Weisheit ihrer Vorfahren: 'Ist der Januar warm, wird der Bauer arm.'
(from *Rheinische Post*, Düsseldorf)

NOTE: Der Kahle Asten (840m) is the highest peak in Westphalia.

A Fragen zum Text

1. Was für ein Winter wird hier beschrieben?
2. Wann endet der Winter für Meteorologen?
3. Wie war die Temperatur im Dezember?
4. Was macht der Frost für die Felder?
5. Was ist das Hauptzeichen für einen richtigen Winter?
6. Wie haben die Blattläuse den Winter überlebt?
7. Warum spannen die Bauern ihre Dieselrößlein an?
8. Wie lautet das Sprichwort über einem warmen Januar?

B Fragen zur Diskussion

1. Was sind die möglichen Ursachen von unseren warmen Wintern in den letzten Jahren?
2. Haben Sie den Eindruck, daß die Bauern wohlhabende Leute seien?

C Could you write as readable a piece about the weather? Try!

2. Zahlungen ins Ausland: teuer und langsam

Für Einzelpersonen sind Geldüberweisungen ins Ausland oder Geldbezüge im Ausland trotz zunehmender Computerisierung der Bankgeschäfte immer noch kompliziert, teuer und langsam. Zu diesem Schluß kommt die EG-Kommission in einem soeben veröffentlichten Grünbuch. Eine Expertenkommission soll nun Verbesserungsvorschläge ausarbeiten.

Für das Abonnement einer Fachzeitschrift hatte ich bis vor kurzem über meine belgische Bank halbjährlich 1300 bFr. nach Deutschland überweisen lassen — bis ich eher zufällig einmal einen Blick auf den Abrechnungszettel warf: Der meinem Konto verrechnete Betrag belief sich auf 1901 bFr., 46% mehr als der vom deutschen Verlag in Rechnung gestellte Abonnementspreis. Was mich schon lange vorher gewundert hatte: Zur Einleitung dieser Zahlung mußte der Bankbeamte jedesmal von Hand ein ziemlich kompliziert gestaltetes Formular ausfüllen, obwohl neben ihm ein hochmoderner Kleincomputer stand. Dieser 'Papierkrieg' verlangsamt nun aber die Abwicklung der Zahlung ganz wesentlich, wie die europäische Konsumentenorganisation BEUC in einer Untersuchung herausfand: Die Durchschnittszeit, die es zur vollständigen Erledigung von 144 Zahlungen je 100 Ecu zwischen EG-Mitgliedstaaten brauchte, betrug 5 Tage.

In ihrem Grünbuch beschränkt sich die EG-Kommission im wesentlichen auf die Probleme, auf die Einzelpersonen und Kleinbetriebe bei Barüberweisungen ins Ausland, im internationalen Scheckverkehr oder beim Gebrauch von Plastikkarten außerhalb ihres Heimatlandes stoßen. Verbesserungsvorschläge macht die Kommission nur, soweit sie gerade auf der Hand liegen: europaweite Verbindung der Clearingstellen, die elektronische Zahlungen im Inland heute schon weitgehend problemlos machen, sowie die Vereinheitlichung der verschiedenen nationalen Scheckformate, damit diese elektronisch verarbeitet werden können. Lösungsvorschläge erwartet die Kommission vor allem von einer aus Vertretern der Banken und EG-Mitgliedstaaten zusammen-gesetzten Expertenkommission.

Wesentlich forscher geht die EG-Kommission dagegen gegen Eurocheque International vor. Diese Verbindung zwischen den europäischen Clearingbanken, mit der 1984 das Eurochequesystem eingerichtet wurde, erhielt damals — weil auch im Interesse der Konsumenten liegend — den Segen der Kommission, obwohl sie gemäß Artikel 85 des EG-Vertrages Vereinbarungen enthält, die wettbewerbsbeschränkend wirken können. Die Kommission hat jetzt Eurocheque International darauf aufmerksam gemacht, daß die anstehende Erneuerung der damals gewährten Ausnahmebewilligung gefährdet ist, weil verschiedene, inzwischen aufgetauchte Mängel des Systems trotz Warnungen noch immer nicht behoben sind. Dazu zahlen etwa die mangelnde Aufklärung der Konsumenten über die ihnen belasteten Gebühren; die Interbankkommission, die systematisch den Kunden belastet wird, oder der mit rund 340 Ecu nicht gerade sehr hohe Maximalbetrag.

Ⓐ Fragen zum Text

1. Zu welchem Schluß über Geldüberweisungen ins Ausland kommt die EG Kommission in ihrem Grünbuch?
2. Was war der Unterschied zwischen dem Preis des Abonnements und dem bezahlten Betrag?
3. Was mußte der Bankbeamte jedesmal machen?
4. Wie lange brauchen die Banken im Durchschnitt, Zahlungen zwischen EG-Staaten zu erledigen?

5. Auf welche Probleme beschränkt sich die EG-Kommission in ihrem Grünbuch?
6. Welche Verbesserungsvorschläge macht die Kommission?
7. Was ist das Eurochequesystem?
8. Wie denken die Experten über die Gebühren, die Interbankkommission und den Maximalbetrag?

Ⓑ Fragen zur Diskussion

1. Wer kümmert sich mehr um das Interesse der Konsumenten — die EG-Kommission oder die Banken?
2. Wird der Gebrauch von Plastikkarten außerhalb des Heimatlandes als sehr nützlich angesehen?

Ⓒ Do you think that international banking facilities are improving in the interests of the consumer, of the banks, or both?

Draw up a list of pros and cons.

3. Der 'Lehrling' ist wieder da . . .

'Möchten Sie "Auszubildende", gar "Azubi" heißen, oder lieber "Lehrling"?' Der 17jährige Stephan Ehrlinger in einer Düsseldorfer Betriebslehrwerkstatt wehrt lächelnd ab und antwortet schlagfertig: 'Sagen Sie "Herr Ehrlinger" zu mir, das genügt!'

Wenn das so einfach wäre, junger Mann! Seit die schreckliche Vokabel 'Auszubildender' von den Verhunzern der deutschen Sprache in die Arbeitswelt gesetzt wurde und sie durch den 'Azubi' das Krönchen aller Unmöglichkeiten aufgesetzt erhielt, führen die Konservativen einen heldenhaften Kampf um den 'Lehrling'. Sie verloren eine Schlacht nach der anderen, der 'Auszubildende' grassierte in allen Amts—, Redaktions— und Schulstuben, tummelte sich fleißig in den Büros und Werkstätten — aber irgendwann, niemand vermag genau zu sagen, wann es eigentlich war, lugte der 'Lehrling' sprachlich wieder um die Ecke, er war jahrelang abgetaucht, hatte sich konserviert — und nun ist er putzmunter und frisch wieder da: Seht her, ich bin's, der Lehrling!

Willkommen, junger Mann, willkommen junge Dame, die in diesen Begriff voll eingeschlossen ist. Denn selbst die wildesten Emanzen haben sich noch nicht zu dem Vorschlag erkühnt, aus dem Lehrling etwa die weibliche Form 'Lehrlingin' abzuleiten. Auch für die Emanzen gibt's halt Grenzen, wer hätte das gedacht?

Lehrjahre sind keine Herrenjahre, das Lehrgeld bezahlen, beim Leben in die Lehre gehen — es gehört zum Fundus der Volksweisheiten, daß wir alle mal 'Lehrlinge' gewesen sind, und in manchen Lebensbereichen schafft es mancher ohnehin nicht bis zum Meister.

Ein Lehrling sein (und so heißen) war noch zu keiner Zeit etwas Abträgliches, der Begriff kündet von Jugend und dem Willen, etwas zu lernen. Und es ist natürlich auch ein bißchen Müssen dabei. Auch das will gelernt und begriffen sein.

(from *Rheinische Post*, Düsseldorf)

NOTE: You may not find the word *Emanzen* in the dictionary; it is a pejorative term for emancipated women — 'women's libbers' might be an equivalent.

Ⓐ Fragen zum Text

1. Durch welches Wort ist das Wort 'Lehrling' neulich ersetzt worden?
2. Wie ist dieses Wort abgekürzt worden?
3. Was hofft der Lehrling zu werden?
4. Welche sprichwörtliche Ausdrücke werden im Text erwähnt, die mit 'Lehrling' verbunden sind?
5. Haben die Konservativen ihren Kampf endgültig verloren?
6. Ist ein Lehrling männlich oder weiblich?
7. Was sagt der Begriff 'Lehrling'?
8. Wie ist es ebenfalls mit dem Begriff 'Auszubildende'?

Ⓑ Fragen zur Diskussion

1. Welche Spuren von Humor finden Sie in diesem Text?
2. Versuchen Sie, eine Liste von gegenwärtigen Modewörtern aufzustellen.

Ⓒ Write a review of this article in the style of a weekly column on language topics.

4. Die erstaunlichen Eigenschaften von Weihrauch und Myrrhe

Die drei Weisen aus dem Morgenland überbrachten dem Jesuskind auch Gaben von großer Heilkraft. Das Matthäus-Evangelium: 'Sie fanden das Kindlein mit Maria, seiner Mutter, und fielen nieder und beteten es an und taten ihre Schätze auf und schenkten ihm Gold, Weihrauch und Myrrhe.'

Bestandteile von Weihrauch und Myrrhe, so haben jüngste Untersuchungen ergeben, sind wirksam gegen Entzündungen und Pilzbefall. Aus ihnen gewonnene Öle lindern Beschwerden bei Infektionen der Luftwege.

Darüber berichtete jetzt ausführlich die britische Wissenschaftszeitschrift 'New

Scientist'. Ein Myrrhe-Derivat vermag sogar den Gehalt des Blutes an Cholesterin und Triglyzeriden zu senken und auch der Arteriosklerose vorzubeugen.

Die Erkenntnisse der modernen Medizin bestätigen, was seit Jahrtausenden zum Wissen von Naturheilern gehörte: Myrrhe kann des Leben verlängern.

Weihrauch und Myrrhe sind Harze, die aus Bäumen und Sträuchern gewonnen werden. Weihrauch-Bäume und Myrrhe-Sträucher sind eng miteinander verwandt und gedeihen vor allem in Nordostafrika, auf der Arabischen Halbinsel und im Fernen Osten.

Die alten Ägypter nannten die Harze 'Tränen des Horus.' Horus war der Gott der Sonne und des Mondes. Bereits in dem Papyrus Ebers, der aus der Zeit von 1500 vor Christus stammt, beschrieben Priester des alten Ägypten die segensreichen Wirkungen der Harze bei der Behandlung von Wunden und Hautausschlägen.

Anderthalb Jahrtausende später, in den ersten Jahrzehnten unserer Zeitrechnung, wurde in Rom Weihrauch zur Behandlung von Wunden und zur Stillung von Blutungen empfohlen, im 16. Jahrhundert galten aus Weihrauch zubereitete Substanzen in England als probates Mittel gegen Magengeschwüre und Blutergüsse.

Indische Ärzte behandelten mit Weihrauch Rheumatismus, Chinesen Hautkrankheiten, darunter auch die Lepra.

Myrrhe wurde noch vielseitiger verwandt als Weihrauch. Bei den Sumerern vor fünf Jahrtausenden bereits wurde die Wirksamkeit einer Myrrhe-Tinktur gegen Zahn — und Wurmkrankheiten beschrieben. Griechen und Römer waren überzeugt, daß Myrrhe gegen den Biß giftiger Schlangen helfe. Asiatische Heilkundige empfahlen vor tausend und mehr Jahren, Myrrhe gegen Husten und Brustbeschwerden, gegen Hautinfektion und — gemischt mit Eselsmilch — gegen gefährliche Pilzkrankheiten bei Kindern. Schon im frühen Mittelalter gelangten Rezepte für die Zubereitung von Myrrhe— Arzneien aus dem Nahen Osten nach England. Unter den Angelsachsen auf der Insel war Lepra eine häufige Krankheit. Myrrhe-Tinkturen könnten als Heilmittel dagegen eingesetzt worden sein, vermuten Wissenschaftler.

Im Mittelalter kauten die Menschen in Europa auch Myrrhe-Stücke, weil sie glaubten, sich auf diese Weise vor der Ansteckung mit Seuchen schützen zu können. Später wurde Myrrhe gegen Übelkeit und Durchfall, gegen Blutungen und zur Behandlung von Skorbut gebraucht.

Im vergangenen Jahrhundert diente eine Mischung von Myrrhe und Borax in Großbritannien als eine Art Zahnpasta.

Tatsächlich sind Weihrauch und Myrrhe zu vielerlei brauchbar — schon deshalb, weil die Zahl ihrer Bestandteile sehr groß ist, insbesondere der von Myrrhe.

Biochemiker können noch nicht genau eingrenzen, welche der Substanzen in Weihrauch und Myrrhe den größten Effekt haben. So gesehen wissen wir heute auch nicht viel mehr als die Weisen aus dem Morgenland vor zwei Jahrtausenden.

Ⓐ Fragen zum Text

1. Welche Gaben haben die drei Weisen aus dem Morgenland dem Jesuskind gebracht?
2. Wo ist ein Bericht über Weihrauch und Myrrhe neulich erschienen?
3. Wo wachsen Weihrauch-Bäume und Myrrhe-Sträucher?
4. Wozu wurde Weihrauch vor zweitausend Jahren in Rom gebraucht?
5. Welche Krankheiten behandelten Indische bezw. chinesische Ärzte mit Weihrauch?
6. Wie wurde Myrrhe im Mittelalter benutzt?
7. Was machte man im neunzehnten Jahrhundert mit Myrrhe?
8. Warum sind Weihrauch und Myrrhe in so vielfältiger Weise nützlich?

Ⓑ Fragen zur Diskussion

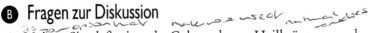

1. Meinen Sie, daß wir mehr Gebrauch von Heilkräutern machen sollten?
2. Stellen Sie eine Liste von anderen Heilkräutern auf; sind alle nützlich?
3. How interesting have you found this article? Is it good journalism?

5. Bald Schluß mit dem taghellen Feierabend? Die Sommerzeit kommt ins Gerede

Die Sommerzeit, die von Sonntag an wieder einmal die Tage europaweit für ein halbes Jahr um eine Stunde gleichsam verlängert, ist ins Gerede gekommen. Neben der von vielen als positiv empfundenen Tatsache, daß es abends eine Stunde später dunkel wird, haben Wissenschaftler eine Menge von Nachteilen herausgefunden — von möglichen gesundheitlichen Schädigungen bis hin zu gefährlichen Auswirkungen auf die Umwelt. Noch hält die EG-Kommission an der gegenwärtigen Sommerzeitregelung fest. Nach 1992 ist aber alles offen.

Die EG-Kommission stützt ihre Überlegungen auf einen 'Bericht über die Vorteile und Nachteile der Sommerzeit', der am Donnerstag in Brüssel bekannt wurde. Daraus geht hervor, daß wirkliche Vorteile der Sommerzeit nur demjenigen erwachsen, dem die künstlich verlängerte Helligkeit bis spät in den Abend hinein gefällt. Denn der eigentliche Grund für die Einführung der Sommerzeit nach den Ölkrisen der 70er Jahre — die Absicht nämlich, Energie einzusparen — hat sich als nicht stichhaltig herausgestellt: Der Spareffekt beträgt nach dem EG-Report lediglich 0,5 Prozent. Das sei eine 'nicht signifikante Menge', die nach Meinung der Autoren der Studie von dem gegenteilig wirkenden Mehrverbrauch an Energie als Folge vermehrter Freizeit-aktivitäten an langen Sommerabenden vollends vernachlässigt werden kann.

Von größerem Gewicht sind die von vielen Experten beobachteten Nachteile der Sommerzeit — wobei sich die Fachleute noch nicht ganz über den Grad der Gefährdungen einig sind, die davon ausgehen. Eher pessimistische Schätzungen legen nahe, daß die Sommerzeit ein Umweltverschmutzer von beträchtlichem Ausmaß ist. So wollen Wissenschaftler herausgefunden haben, daß die Entwicklung von aggressivem fotochemischem Smog durch die Verlängerung des Tageslichts in den Abend hinein um zehn Prozent zunimmt. Die Autoren schließen auch nicht aus, daß die Sommerzeit bei Menschen gesundheitliche Schäden verursacht. Vor allem in den westlichen Zeitzonen, wo der Unterschied zwischen realem Sonnenstand und der von der Uhr aufgezwungenen Tageszeit noch größer ist, stellten sie bei Testpersonen einen höheren Konsum von Schlafmitteln fest. Bei Kindern bewirke die lange Helligkeit oft Einschlafschwierig-keiten, was zu Müdigkeit am folgenden Morgen, Unaufmerksamkeit in der Schule und Konzentrationsschwierigkeiten führen könne.

In ihren Schlußfolgerungen kommt die Studie freilich zu dem Ergebnis, daß generelle Aussagen über die Vorteile und die Nachteile der Sommerzeit in wissenschaftlichem Sinne nicht beziehungsweise noch nicht getroffen werden könnten, weil die Forschungsdaten noch nicht ausreichen. In einem Punkt allerdings ist die Studie eindeutig: Weil ein Energieeinspareffekt nicht eingetreten ist, entfällt der Hauptgrund für die EG-weite Sommerzeit. Und der einzige wirkliche Vorteil liegt in der Tatsache, daß die Menschen über mehr Freizeit verfügen, die sich die Freizeitindustrie natürlich gewinnbringend zunutze macht.

Allerdings will die EG weiterforschen, ob die Anzeichen gesundheits— und umweltschädigender Auswirkungen der Sommerzeit verallgemeinert werden können beziehungsweise sogar deren Abschaffung notwendig machen. Dies würde dann freilich EG-weit erfolgen, weil die enge verkehrstechnische und nachrichtentechnische Verzahnung der zwölf Mitgliedstaaten unterschiedliche Zeitzonen nicht zuläßt.

Ⓐ Fragen zum Text

1. Wie weit hilft Sommerzeit dabei, Energie zu sparen?
2. Welche Nachteile haben sich erwiesen?
3. Welche Folgen bringen vermehrte Freizeitaktivitäten mit?
4. Was für gesundheitliche Schäden werden von der Sommerzeit verursacht?
5. Warum gibt es mehr Smog bei Sommerzeit?
6. Welche besonderen Schwierigkeiten haben Kinder während der Sommerzeit?
7. Wie denkt die Freizeitindustrie über die Frage?
8. Warum denkt man daran, die Sommerzeit abzuschaffen?

Ⓑ Fragen zur Diskussion

1. Haben Sie eine positive Einstellung gegenüber der Sommerzeit?
2. Welcher Staat hat die Sommerzeit erfunden, wann und warum?

Ⓒ What is the outlook for summer time now?

6. *Menschen, die sich schnell und intensiv ärgern, sterben früher*

Chronischer Ärger kann die Lebensspanne eines Menschen deutlich verkürzen. Dies ist das Ergebnis neuer Langzeitstudien, über die unlängst auf einer Fachtagung der amerikanischen Herz-Gesellschaft berichtet wurde.

Vor allem zwei Charaktereigenschaften erhöhen das Risiko, frühzeitig zu sterben: Feindseligkeit und Mißtrauen. Sie haben zur Folge, daß auch viele alltägliche Situationen Überreaktionen und Ärger auslösen.

Von Natur aus feindselige Menschen können sich beispielsweise bereits darüber heftig und lange aufregen, wenn sie im Supermarkt bemerken, daß ein Kunde vor ihnen an der Kasse etwas umständlich hantiert.

Studien belegen, wie gefährlich eine derartige Lebenseinstellung sein kann. Wissenschaftler der Duke Universität in North Carolina befragten und untersuchten annähernd 30 Jahre lang regelmäßig 155 Mediziner. Sie stellten fest, daß 14 Prozent der Mediziner, die besonders feindselig und mißtrauisch waren, bis zum 50. Lebensjahr gestorben waren. Von den Kollegen, die eine ausgeglichene Persönlichkeit hatten, waren bis zum 50. Lebensjahr hingegen nur zwei Prozent gestorben. Im Rahmen einer weiteren Langzeitstudie wurden 850 Männer und Frauen in ihrer Studentenzeit psychologischen Tests unterzogen.

Bei einer Untersuchung 25 Jahre später zeigte sich: Diejenigen Personen, die als feindselig und mißtrauisch eingestuft worden waren, hatten einen stark erhöhten Cholesterinspiegel im Blut. Hohe Cholesterinwerte gelten als Risikofaktor für Herzkreislaufleiden.

Frauen, so ergab eine weitere Untersuchung von Wissenschaftlern der Universität von Michigan, sind besonders durch chronisch unterdrückten Ärger gefährdet. In einer Studie an 600 Frauen und Männern fand das Forscher-Team um Dr. Mara Julius heraus: Frauen, die dazu neigen, ihren Unmut zu verbergen, haben ein deutlich größeres Risiko, vorzeitig zu sterben, als jene Frauen, die ihrem Ärger Luft machen. Bei Männern war kein derartiger Zusammenhang zu entdecken.

'Ewig unterdrückter Ärger scheint für viele Frauen ein ebenso bedeutender Risikofaktor für einen frühen Tod zu sein wie beispielsweise Rauchen', sagte Dr Julius.

Mediziner erklären die gesundheitsschädlichen Auswirkungen von Ärger auf den Organismus so: Sogenannte feindselige Menschen haben ein besonders leicht erregbares Nervensystem. Wenn sie aufgebracht sind, schüttet ihr Körper große Mengen Streßhormone aus.

Diese Hormone lösen eine Reihe von Reaktionen aus. So schnellt der Blutdruck in die Höhe, das Herz schlägt schneller, der Blutfettspiegel steigt an. Überdies aber fehlen vielen feindseligen Menschen ausreichende Mengen derjenigen Hormone, die die Wirkungen der Streßhormone wieder aufheben.

Die Folge: Der ständig erhöhte Blutdruck schädigt Herz und Gefäße, die erhöhten Blutfettspiegel fördern die Entstehung von Arteriosklerose, die Funktionen von Leber und Nieren werden beeinträchtigt.

Ⓐ Fragen zum Text

1. Welche Charaktereigenschaften erhöhen das Risiko, frühzeitig zu sterben?
2. Was ergab sich bei der Untersuchung von 155 Medizinern in North Carolina?
3. Was zeigte sich bei der Untersuchung von 850 Männern und Frauen nach 25 Jahren?
4. Wie wirkt sich unterdrückter Ärger bei Frauen aus?
5. Welche Folge hat Ärger für jemanden mit einem leicht erregbaren Nervensystem?
6. Welche Reaktionen lösen Streßhormone aus?
7. Was sind die Folgen von erhöhtem Blutdruck und Blutfettspiegel?
8. Welche andere Organe leiden dabei, außer dem Herz?

Ⓑ Fragen zur Diskussion

1. Was kann man tun, um das Risiko einer Herzkrankheit zu vermindern?
2. Warum ist Herzkrankheit häufiger als vor zwei Jahrhunderten, meinen Sie?

Ⓒ What points of interest have you learned from this article?

7. In Hamburg sollen wieder Straßenbahnen fahren

Am 1. Oktober 1978 steuerte der heute 80 Jahre alte Edmund Spies die letzte Hamburger Straßenbahn ins Depot. Jetzt hat er Hoffnungen, daß eines absehbaren Tages diese Schienenfahrzeuge wieder durch die Elbmetropole rollen. Die Hoffnung ist so abwegig nicht, denn inzwischen denken hochrangige Hamburger Politiker bis hin zu Energie— und Umweltsenator Jörg Kuhbier angesichts einer oft hoffnungslos mit Autos zugestopften Innenstadt über die Wiederbelebung der Straßenbahn nach. Kräftig vorangetrieben wurde diese Diskussion von der Hamburger Grün/Alternativen Liste (GAL), die inzwischen mit ihrer Forderung nach schneller Wiedereinführung der Straßenbahn durch die Stadtteile zieht und dabei auf viel Resonanz trifft. Bei den gerade angelaufenen Haushaltsberatungen der Bürgerschaft will die GAL Geld für ein Gutachten einfordern, das sich mit Kosten und Nutzen des vor zehn Jahren ins Abseits geschobenen Verkehrsmittels befassen soll. Auch Kuhbier und der FDP—Fraktionsvorsitzende Frank-Michael Wiegand wollen sich für eine solche Untersuchung einsetzen.

Dabei könnte sich dann nach Ansicht der Befürworter einer neuen Ära der Straßenbahn herausstellen, daß man in den sechziger und siebziger Jahren voreilig handelte, als man das vorhandene Straßenbahnnetz zunächst veralten ließ und dann ganz abschaffte.

Der Gedanke ist wohl nicht ganz abwegig, daß die Lobby der Autobushersteller damals eine verkehrspolitisch wenig sinnvolle Rolle gespielt haben dürfte. Energie-und Umweltsenator Kuhbier jedenfalls sieht wie die Hamburger Grünen gleich eine ganze Reihe von Vorteilen, die zugunsten für eine Wiederbelebung der Straßenbahn sprechen könnten. Dazu zählen die im Vergleich zu neuen U— oder S-Bahn-Linien geringeren Investitionskosten, der im Vergleich zu den Bussen sparsamere Energieverbrauch und die im Vergleich zu Bussen größere Sauberkeit der Straßenbahn, die ohne Abgase fährt. Ein mögliches Gegenargument wäre die Tatsache, daß für Straßenbahnen ähnlich wie für die bestehenden Verkehrssysteme der U-Bahn, S-Bahn und der Busse eigene Betriebshöfe und Werkstätten geschaffen werden müßten. Das angesprochene Gutachten soll bei der endgültigen Urteilsfindung helfen. Kuhbier will 'eine vernünftige Untersuchung durch eine unabhängige, seriöse Einrichtung'. Die Überlegungen, die Straßenbahn wieder in Bewegung zu setzen, fallen in eine Zeit, da fast alle Analysen über den innerstädtischen Verkehr der Großstädte zu dem Ergebnis kommen, daß dort zumindest der sogenannte Individualverkehr ganz erheblich eingeschränkt werden muß. Die Städte, so auch die Meinung in der Elbmetropole, brauchen ein neues Verkehrskonzept. Zwar wird in Senatskreisen versichert, die Diskussion um neue Straßenbahnlinien sei unter den zuständigen Fachleuten nicht neu. Doch die Grünen haben die Sache vor etwa drei Wochen erst wieder kräftig angeschoben. Dem Senat haben sie empfohlen, ein Gastgeschenk der Partnerstadt Dresden gut zu nutzen. Es handelt sich um einen Straßenbahnwagen, der einige Zeit auf dem Rathausmarkt stand. Er sei dann 'sang— und klanglos' auf einem Hochbahngelände verschwunden und nun 'umgebaut und seines historischen Werts beraubt als Café eines Altenpflegeheims wieder aufgetaucht.' Den, so meint die GAL, solle man doch 'als Schulungsobjekt zur Verfügung stellen, um die irrationalen Ängste vor schienengebundenen Straßenverkehrsmitteln zu überwinden.'

Ⓐ Fragen zum Text

1. Wann fuhr die letzte Hamburger Straßenbahn?
2. Wie ist die Hamburger Innenstadt heutzutage?
3. Was will die Grün/Alternativen Liste?
4. Was hatte die Lobby der Autobushersteller gemacht?
5. Welche Vorteile hat die Straßenbahn im Vergleich zu den Bussen und zu U— oder S-Bahn-Linien?
6. Was muß mit dem Individualverkehr geschehen?
7. Welches Geschenk hat Hamburg von Dresden erhalten?
8. Was ist mit diesem Geschenk geschehen?

B Fragen zur Diskussion

1. Warum wollen so viele Leute die Straßenbahn wieder einsetzen?
2. Hat die Grün/Alternativen Liste einen großen Einfluß in Deutschland? Und in Großbritannien?

C What alleged disadvantages led to the withdrawal of tramway systems in the previous generation? Was it justified?

8. Eisfreie Strassen mit weniger Feuchtsalz

Die Salzindustrie, von immer milderen Wintern wie von wachsendem Umweltbewußtsein gleichermaßen bedrängt, geht in die Offensive. 'Auftausalz im Winterdienst ist unverzichtbar,' verkündet sie, 'auf glatten, also nicht salzgestreuten Straßen ist die Unfallrate mindestens sechsmal so hoch.'

Auf deutsche Straßen rieselt heute nur etwa ein Zehntel der Salzmenge von früher. Im Winter 1979/80 waren es drei Millionen Tonnen, in der vergangenen Saison 376 000 Tonnen. Vor allem wegen der milden Witterung. Dazu lernen die Streudienste immer besser, die Fahrbahnen mit wenig Salz eisfrei zu halten.

Früher rückten die Winterdienst-Wagen erst aus, wenn tatsächlich Schnee auf der Fahrbahn lag und weggeräumt werden mußte. Die Salz-Schleuder arbeitete unabhängig von der Fahrgeschwindigkeit und ließ sich nicht auf die Fahrbahn-Breite einstellen: Sie dosierte immer reichlich. Heutige Streuer verteilen elektronisch-exakt. Neue Schneeräum-Technik hinterläßt nur eine dünne Schicht auf der Fahrbahn, entsprechend weniger muß weggetaut werden.

Der größte Fortschritt aber betrifft das Salz selbst. Früher wurden einfach Körner auf die Fahrbahn geschleudert — und vom nächsten Fahrzeug zur Seite. Mit dem heute mehr und mehr eingesetzten Feuchtsalz kann das nicht passieren. Die Körner kleben auch auf trockener Fahrbahn fest. Sie sind noch da, wenn es ernst wird. Der Streuwagen kommt mit sehr viel weniger Salz aus, bis zu zehn Gramm pro Quadratmeter Straße. Früher waren es oft sechsmal soviel.

Feuchtsalz eignet sich hervorragend zum vorbeugenden Streuen. Die Wagen rücken aus, bevor es zu schneien beginnt, bevor es auf die unterkühlte Fahrbahn regnet. Die Straße wird gar nicht erst glatt. Um den Zeitpunkt unmittelbar vor dem Niederschlag möglichst exakt zu treffen, haben die Straßenmeistereien heute zum Teil ihren eigenen Wetter-Dienst. Melder an neuralgischen Punkten messen Feuchtigkeit und Temperatur. Der Computer läßt einsetzenden Niederschlag erkennen, zeigt, wie Glätte-Zonen wandern. Auch die Wetterämter helfen mit kurzfristigen, regionalen und damit genauen Prognosen.

Rechtzeitiges Räumen, gezielter Einsatz einer knappen, aber ausreichenden Menge Salz sichert selbst in den Bergen in aller Regel zügiges Durchkommen. Trotzdem betrachten Fahrer wie Naturschützer die Winterdienstler mit ihrem Salz-Quirl am Heck mit gemischten Gefühlen. Etliche Gemeinden verkünden, auf Salz überhaupt zu verzichten — bei Wintersport-Orten nicht zuletzt für das Image. Selbst Städte praktizierten schon weiße Winter-Straßen.

Splitt, gemahlene Schlacke (Granulat) führte beispielsweise in Hamburg und Berlin schon zum Chaos. Man ging auf wichtigen Straßen schnell wieder zum Salz zurück. Inzwischen streuen selbst Wintersport-Orte wie Garmisch oder Schliersee auf Hauptstraßen wieder Salz, sonst kommt der Schwerverkehr nicht durch.

Die Salzindustrie sieht es mit Befriedigung. Und bemüht sich zu versichern, daß Umweltschäden durch Salz weithin überschätzt würden. Wissenschaftliche Daten belegen dies. Die Universität Gießen beispielsweise bescheinigt, daß selbst an den am häufigsten gestreuten Autobahnen Schäden am 'Begleitgrün' nur unmittelbar neben den Fahrbahnen gefunden werden. Es gibt viele Pflanzen, die kaum beeinträchtigt werden. Das Salz verdünnt sich durch Regen sehr schnell. Auch für Flüsse und Grundwasser, so schwedische Untersuchungen und wieder die Uni Gießen, besteht keine Gefahr. Die Salzkonzentration in fließenden Gewässern erreicht nach Streuperioden auf den Straßen nur ein Hundertstel des Wertes, der für das Gewässer gefährlich werden könnte. Der Rhein führt mit 160 Milligramm Salz pro Liter weniger als ein Drittel der Salz-Fracht, die von der Weltgesundheitsorganisation als Grenze für Trinkwasser angegeben wird.

Ⓐ Fragen zum Text

1. Wovon ist die Salzindustrie in den letzten Jahren bedrängt worden?
2. Wie verhält sich die Menge von Salz heute zu der in früheren Jahren?
3. Wie wird das Salz heutzutage verteilt im Vergleich mit dem Verfahren von früheren Jahren?
4. Was ist der Unterschied zwischen dem Salz, das heute gebraucht wird und dem von früheren Jahren?
5. Woher wissen die Straßenmeistereien, wann die Wagen ausrücken sollen?
6. Warum wollen Wintersport-Orte kein Salz benutzen?
7. Werden sehr viel Umweltschäden durch Salz verursacht?
8. Wieviel Salz enthält das Rheinwasser und wieviel darf Trinkwasser enthalten?

Ⓑ Fragen zur Diskussion

1. Welchen Eindruck haben Sie vom Gebrauch von Auftausalz in Deutschland und Großbritannien — etwa vom technischen Standpunkt aus?
2. In welchen Gebieten sind von den Streudiensten erhebliche Fortschritte gemacht worden?

ⓒ How far do you think we are likely to follow the German example?

9. Was haben Kanada und die Schweiz gemeinsam?

Was haben Kanada und die Schweiz gemeinsam? Zumindest eins: die französische Sprache. Die Mehrheit — hier Deutsch, dort Englisch — umfasst in beiden Ländern drei Viertel der Bürger und Bürgerinnen.

Die Größenverhältnisse sind verschieden: Kanada hat eine Fläche wie ganz Europa bis zum Ural (10 Millionen Quadratkilometer) und erstreckt sich in Ost-West-Richtung über 6500 Kilometer; die Schweiz mißt in der größten Ausdehnung ganze 350 Kilometer, doch sie zählt gesamthaft ebenso viele Einwohner wie der französischsprachige Teil Kanadas.

Die kanadische Union hat einen "Sprachenkommissär", einen Ombudsmann: D'Iberville Fortier. Er achtet darauf, daß alle Bundesämter strikt zweisprachig sind, und wirkt als Vermittler, wenn sich Kanadier aus sprachlichen Gründen benachteiligt fühlen. Der ehemalige Botschafter besuchte kürzlich Brüssel, Budapest und Bern. Vizekanzler François Couchepin hieß ihn zu einem Vortrag vor Bundesbeamten willkommen: für die Schweiz aktuell, weil der Sprachenartikel der Bundesverfassung zur Diskussion steht.

Sprache ist Macht. Kanada, das Land am Sankt-Lorenz-Strom, hieß seit dem 16. Jahrhundert Neu-Frankreich und sprach französisch. 1759 siegten Engländer in einem zwanzigminütigen Scharmützel bei Québec-Stadt über die Franzosen: Neu-Frankreich wurde englischer Besitz. Die beiden verfeindeten Generäle fanden unter einem gemeinsamen Denkmal einträchtig die ewige Ruhe, doch noch lange sollten die Engländer die französische Sprache unterdrücken. In Nordamerika ging auch das riesige Gebiet westlich des Mississippi für Frankreich verloren: Bonaparte verkaufte 1803 das damalige Louisiana (Land des Königs Ludwig) für 60 Millionen Franken an die Vereinigten Staaten, die sich von England gelöst hatten.

Es hätte nicht viel gebraucht — eine Prise Schlachtenglück, etwas mehr Geld auf französischer Seite — und der Kontinent spräche heute zum großen Teil eine unserer Nationalsprachen. Doch die sechs Millionen Französischsprachigen bilden nun in Kanada nur einen Viertel und auf dem nordamerikanischen Kontinent gar nur zwei Prozent der Bevölkerung . . . anteilmäßig fast vergleichbar mit den Rätoromanen in der Schweiz.

Kanada war Kolonie — und die Schweiz? Die meisten romanischen Gebiete waren Untertanenländer — so das Tessin und die Waadt — oder Alliierte wie Genf oder Neuenburg. Erst die Französische Revolution brachte ihnen Gleichberechtigung. Zeitweise benahmen sich jedoch die Deutschschweizer wie Alleinherrscher: zur Zeit der Burgunderkriege etwa, dann nach dem preußisch-deutschen Sieg über Napoleon III.

Und wenn seit 1918 der Sprachenfriede eingekehrt ist, so nicht ohne sprachliche Spannungen — siehe Jura-Konflikt.

Parallel zum Jura-Separatismus führten in der kanadischen Provinz Québec (sie ist viermal so groß wie Frankreich) Separatisten einen Kampf für die Unabhängigkeit. Ich habe die entscheidenden Plebiszite hüben und drüben mitverfolgt: am 23. Juni 1974 Jubel in der ehemaligen Reithalle des Fürstenschlosses Delsberg, am 20. Mai 1980 Tränen der Enttäuschung im Stadion Paul Sauvé zu Montréal, der zweitgrößten französischsprachigen Stadt nach Paris. Der Jura wurde selbständiger Kanton; die Provinz Québec (die sich aus der Union lösen wollte) kein unabhängiger Staat.

1963 hatte sich eine kanadische Kommission — ein Pendant zur heutigen Arbeitsgruppe Saladin in der Schweiz — mit der Lage der Sprachen befasst. Sie kam zum Schluß, die französische Sprache sei im Nachteil, und verlangte die Gleichberechtigung beider Völker Kanadas. Die Forderung ist, wie Fortier sagt, 'immer noch aktuell'. Doch 1969 wurde ein Sprachengesetz beschlossen, 1988 erneuert. Es brachte tiefgreifende Veränderungen, ja eine 'sprachliche Revolution': Französisch erhielt nun in Englisch-Kanada Respektabilität.

Plakate in der Provinz Québec müssen mehrheitlich französischsprachig sein – für Schweizer selbstverständlich, für Anglokanadier ein Affront; doch der Oberste Gerichtshof Kanadas anerkannte die Sonderstellung der mehrheitlich französischsprachigen Provinz Québec. 'Diese Assymetrie ist für die Mehrheit schwer verständlich,' erklärt Fortier, 'doch sie bildet ein Schlüsselelement unseres Vorgehens.' Auch wenn das kanadische Sprachenrecht — anders als das schweizerische — individuelles Recht (Sprachenfreiheit) über das kollektive (Territorialprinzip) stellt: In Sprachenfragen darf das Mehrheitsprinzip nicht gelten — Sprachenschutz heißt immer Minderheitenschutz.

In den letzten Jahren ging laut Fortier in Kanada 'alles drunter und drüber. Man muß sich nicht wundern, daß da viel Staub aufwirbelte — doch das war positiv.' Im Laufe von zwei Jahrzehnten habe sich ein Konsens ergeben: Kanada soll sprachlich dualistisch und — nach der Einwanderung aus der ganzen Welt — multikulturell sein.

Nachdem Vertreter der Mehrheit einseitig den vor drei Jahren geschlossenen Kompromiß von Meech Lake brachen, droht die Union erneut zu zerreißen. Die Sympathien der Schweiz sind gespalten: Romands fühlen sich der französischsprechenden Minderheit nahe, Deutschschweizer eher der Mehrheit, denn englisch ist eine (teilweise) germanische Sprache. Doch pangermanische Solidarität über den Atlantik hinweg wäre weniger am Platz als unser Verständnis für Sprachminderheiten — in Kanada und in der Schweiz. Der schweizerische Sprachenpluralismus hat sich im Laufe von Jahrhunderten eingespielt; Kanada kämpft erst seit zwei Jahrzehnten ernsthaft um eine gerechte Lösung. Doch vielleicht kann die Eidgenossenschaft vom jungen Kanada lernen, auch wenn hier die sprachlichen Spannungen nicht mit jenen ennet dem Ozean zu vergleichen sind.

NOTE: *Viertel*, which is neuter in German, is usually masculine in Swiss German; *ennet* is a Swiss German preposition for *jenseits*.

Ⓐ Fragen zum Text

1. Welches Problem haben Kanada und die Schweiz gemeinsam?
2. Was ist die Aufgabe des kanadischen Sprachenkommissärs?
3. Wie hat Frankreich Kanada und Louisiana verloren?
4. Wie heißen Genf und Neuenburg auf Englisch?
5. Hat der Jura oder die Provinz Québec mehr Unabhängigkeit gewonnen?
6. Welche Anerkennung hat die französische Sprache in Kanada gewonnen?
7. Was sind die Gefühle der Schweizer diesem Sprachstreit gegenüber?
8. Seit wieviel Jahren kämpft Kanada um eine gerechte Lösung?

Ⓑ Fragen zur Diskussion

1. Warum ist die Lage in Kanada nicht so friedlich wie in der Schweiz?
2. Machen wir in Großbritannien genug für Sprachminderheiten?

Ⓒ On the basis of the information in this text write an account of the language problem in Canada.

Assignment A

Scenario

You have just returned from a short spring holiday and this is your first day back at work as a Sales Assistant in Brinkmann & Co. Mr Heller, the Sales Manager, is not in the office, but he has left on your desk a memo which explains everything.

Your assignment is to read Mr Heller's memo carefully and then to organise his trip in accordance with his instructions. You should also be ready to react and deal with any day-to-day emergency which may occur.

MEMO

From: Sales Manager

To: Sales Assistant (i/c German sales)

re: Sales Visit to Germany 15-29 May

Unforeseen problems have made it necessary for me to visit our customers in Germany, so I am taking a few days annual leave now. This trip could be quite rewarding; it will certainly be exhausting. Sorry to spring this on you, but if I don't take some leave now, I'll not have another chance until late autumn. If I outline what I plan to do, perhaps you would be good enough to organise the details for me.

I want to fly from Heathrow to Frankfurt on Sunday 15 May, to arrive not later than six in the evening. Could you check on flight times and also book an hotel not too far away from the main line railway station. I shall be in Frankfurt until Sunday 22nd May.

Mr Lang will be in Frankfurt at the same time. You may have heard me talk about him. He is the Sales Manager for Lamm & Co. He was very kind to me on my first visit to Frankfurt, and I should like to reciprocate by taking him to dinner one night, followed perhaps by a visit to the theatre. I happen to know that he is very fond of fish, as he took me to a wonderful fish restaurant one night. I can't remember its name, but can you find something of that sort and make a note of all the details? As for the theatre, Lamm is an opera lover. Perhaps you could check if there's anything worth seeing. I seem to remember that one can make telephone reservations for seats at the opera.

I want to leave Frankfurt by train on Sunday 22nd May, for Stuttgart. (But not before 0830! The last time you lot arranged my travel, you reserved a seat at some unearthly hour in the middle of the night.) Would it be possible for me to break my journey in Mannheim? I should like to visit an old friend and have lunch with him. I don't want to arrive in Stuttgart later than seven in the evening.

The Zehnpfennig factory is very close to the main line railway station in Stuttgart, and Frau Schultze has promised to drive me to Stuttgart airport at the end of my visit. She has also kindly offered to arrange my hotel booking in Stuttgart. So, as far as my stay in Stuttgart is concerned, you do not have anything to worry about.

While I'm away John Lucas will be in charge of the Sales Office. As you know, he does not speak any German, so he will be relying heavily on you to keep the German side of the operation ticking over.

Once again many apologies. Welcome back. I'll see you next week.

Heller.

Task 1

Choose a suitable hotel. Note down all the relevant details.

HOTELS / PENSIONEN • *HOTELS/PENSION*　　　*Nähe Hauptbahnhof*

Die Reihenfolge der Hotelangaben erfolgt nach Bettenzahl. Die angegebenen Preise sind uns von den Hotels und Pensionen genannten Mindestpreise. Angaben ohne Gewähr.

R = Restaurant / **K** = Konferenzzimmer / **L** = Lift / **G** = Garage / **P** = Parkplatz / **B** = Bad / **D** = Dusche / **SP** = Swimming-Pool / **SA** = Sauna / **MA** = Massage / **ZT** = Zimmertelefon / **MB** = Minibar / **TV** = Fernseher / **F** = Frühstück / **FB** = Frühstücksbuffet / **M** = Mittagstisch / **A** = Abendessen

Hotels / Pensionen	Straße und Hausnummer	Telefon	Betten-zahl	Inkl.-DM-Preis Einzel/ Doppel-Zimmer ohne Frühstück/ mit Frühstück*	
Frankfurter Intercontinental	Wilhelm-Leuschner-Str. 43	2 60 50	1600	ab 300,-/350,-	R K L G B D SP SA MA ZT MB TV F M A
Arcade Hotel	Speicherstraße 3 - 5	27 30 30	450	107,-/154,-*	R K L G P D ZT TV FB M A
Parkhotel Frankfurt	Wiesenhüttenplatz 28-38	26 97 - 0	420	298,-/488,-	R K L G P B D SA MA ZT MB TV FB M A
Hotel Excelsior	Mannheimer Straße 7-9	25 60 80	360	ab 129,-/185,-*	R K L G B D ZT MB TV FB M A
Scandic Crown Hotel Frankfurt	Wiesenhüttenstraße 42	2 73 96 - 0	192	225,-/390,-*	R K L G B D SP ZT MB TV F M A
Pullmann Hotel Savigny	Savignystraße 14-16	7 53 30	180	120,-/300,-*	R K L G B D ZT MB TV FB M A
Hotel Ambassador	Moselstraße 12	25 10 77	150	120,-/150,-*	R L B D ZT SA TV F
Hotel Monopol	Mannheimer Straße 11-13	25 60 80	138	ab 165,-/239,-*	R K L B D ZT MB TV FB M A
Hotel Continental	Baseler Straße 56	23 03 41	131	ab 135,-/250,-*	R K L G P B D ZT TV M A
Hotel National	Baseler Straße 50	27 39 40	130	ab 86,-/245,-*	R K L G B D ZT FB M A
Astoria Hotel (Nähe Messe)	Rheinstraße 25	74 50 46	120	ab 80,-/140,-	R K G P B D SA ZT TV FB A
Hotel Hamburger Hof	Poststraße 10	23 62 82	100	ab 59,-/98,-*	L B D ZT TV F
Hotel Terminus	Münchener Straße 59	24 23 20	100	65,-/115,-	R L G B D ZT TV FB M A
Hotel Tourist	Baseler Straße 23 -25	23 30 95 - 96	94	ab 80,-/120,-*	L G B D ZT TV F
Hotel Rhein-Main	Heidelberger Straße 3	25 00 35 - 37	90	ab 165,-/235,-*	R K L P B D ZT MB TV F M A
Hotel Europa	Baseler Straße 17	23 60 13 - 4 - 5	88	ab 95,-/125,-	R K L G B D ZT F
Hotel Union	Münchener Straße 52	23 12 54	85	55,-/80,-*	R K L D ZT TV FB M A
Hotel Kaiserhof	Kaiserstraße 62	23 51 55 - 57	83	100,-/140,-*	L B D ZT TV F
Hotel Westfälinger Hof　　　TBT	Düsseldorfer Straße 10	23 47 17	81	55,-/120,-*	R L G B D ZT F M A
Hotel Attaché	Kölner Straße 10	73 02 82 - 5	80	ab 95,-/135,-*	L P B D ZT TV FB
Hotel Moselhof Hbf./Messe	Moselstraße 46-48, Passage	23 10 61	72	ab 80,-/99,-*	L G P B D ZT MB TV F
Hotel Apollo	Münchener Straße 44	23 12 85	70	25,-/60,-	R K L B D ZT F M A
Hotel Merkur	Eßlinger Straße 8	23 50 54 - 56	70	90,-/130,-*	K L G B D ZT TV FB
Hotel Münchner Hof	Münchener Straße 46	23 00 66 -68	70	50,-/98,-*	R K G P B D ZT A F M TV F Video
Hotel Intereuropa	Güterplatz 5	73 01 81 - 4	66	132,-/198,-*	L P B D SA ZT MB TV FB M A
Hotel Eden am Hauptbahnhof	Münchener Straße 42	25 19 14+25 21 33	60	55,-/75,-*	L B D ZT TV F
Hotel Cristall	Ottostraße 3	23 03 51 - 4	60	105,-/160,-*	L D ZT MB TV F
Hotel Montana	Speyerer Straße 11	73 04 48	55	95,-/150,-*	L P D ZT MB TV F
Hotel „Topas"	Niddastraße 88	23 08 52	55	98,-/149,-*	L B D ZT MB TV FB
Hotel Carlton	Karlstraße 11	23 20 93	50	75,-/125,-*	R L G D TV FB M A　Kabel-TV
Hotel Arosa (Nähe Messe)	Mainzer Landstraße 316	73 20 31	50	ab 45,-/85,-*	K L G B D ZT F A
Hotel Westend	Westendstraße 15	74 67 02	40	ab 90,-/160,-*	K P B ZT MB F
Hotel Florentina	Westendstraße 23	74 60 44	48	45,-/120,-*	L G B Z F
Hotel Franken (Nähe Messe) ADAC	Frankenallee 183	7 38 00 41 - 2	35	ab 65,-/110,-*	K P D ZT F
Hotel Life	Weserstraße 12	23 10 14	35	ab 40,-/65,-	B D F
Hotel Schumann	Taunusstraße 11	23 26 72	35	ab 65,-/105,-*	R L ZT F M A
Hotel Glockshuber (garni)	Mainzer Landstraße 120	74 26 28	28	55,-/95,-*	L P B D ZT F
Hotel-Restaurant Pauli	Rebstöcker Straße 93	73 18 50	26	50,-/90,-*	R K P B D ZT F M A
Pension Ilona	Mainzer Landstraße 123	23 62 04	14	36,-/58,-	P B F
Pension Aller	Gutleutstraße 94	25 25 96	8	75,-/95,-*	K P D ZT F

HOTELS / PENSIONEN • *HOTELS/PENSIONS*　　　*Nähe im Zentrum*

Steigenberger Hotel Frankfurter Hof	Am Kaiserplatz	2 15 02	570	295,-/350,-*	R K L G B D MB TV F M A
Arabella Grand Hotel Frankfurt	Konrad-Adenauer-Straße 7	29 81 - 0	496	ab 290,-/340,-	R K L G P B D SP SA MA ZT MB TV FB M A
Hotel am Zoo　　　TBT	Alfred-Brehm-Platz 6	49 07 71 - 5	140	ab 120,-/175,-*	R P B D F A ZT TV L
Turm Hotel	Eschersheimer Landstr. 20	15 40 50	132	120,-/175,-*	R K L G P B D ZT TV F M A
Hotel Cortina	Rotteckstraße 16	49 00 08	112	ab 98,-/130,-*	R L G B D ZT F
Hotel Luxor	Allerheiligentor 2-4	29 30 67	99	125,-/165,-*	R K L G P B D ZT TV FB
Bauer Hotel Scala	Schäfergasse 31	25 50 41	96	129,-/199,-*	R K L B D ZT FB TV MB
Hotel Schwille (mit Café)	Große Bockenheimer Str. 50 Fußgängerzone	92 01 00	90	ab 80,-/180,-*	R K L P B D ZT MB TV F
Hotel Mercator	Mercatorstraße 38	49 06 91	80	ab 75,-/100,-*	K L P B D ZT TV FB
Hotel Admiral　　　TBT	Hölderlinstraße 25	44 80 21 / 23	75	ab 75,-/110,-*	K L G P B D ZT MB F
Hotel Zeil	Zeil 12	28 96 70 / 79	70	ab 80,-/120-*	R P B D ZT F FB
Hotel Rex	Berliner Straße 31	28 72 90 + 28 73 90	60	56,-/110,-*	R K L P B D ZT F M A
Hotel-Restaurant Kolpinghaus	Am Allerheiligentor	28 85 41	60	60,-/85,-*	R K L G P B D ZT F M A
Hotel Jaguar (am Zoo)	Theob.-Christ-Str. 17-19	43 93 01 / 02	55	ab 80,-/130.-*	K L G B D ZT F
Hotel Weißes Haus	Jahnstraße 18	55 46 05	50	ab 53,-/80,-*	R L B D ZT TV F
Hotel Neue Kräme	Neue Kräme 23	28 40 46	40	ab 115,-/180,-*	L B D MB TV FB ZT A
Pension Uebe (Hotel garni)	Grüneburgweg 3	59 12 09	29	ab 55,-/90,-	L G P B D TV F

136

Task 2 Telephone call (rôle play)

Having chosen an hotel, phone to make a reservation. With a partner reading the part of the *Empfangsdame* record your conversation. When you have completed this task, change rôles and repeat the exercise.

EMPFANGSDAME	Hier Hotel —. Guten Tag.
SALES ASSISTANT	(*Good afternoon. I'm phoning on behalf of Brinkmann & Co. I want to reserve a room.*)
EMPFANGSDAME	Jawohl. Wann wollen Sie zu uns kommen?
SALES ASSISTANT	(*It would be the night of 15th May until the night of 21st May, inclusive.*)
EMPFANGSDAME	Also, für sieben Nächte, und was für ein Zimmer möchten Sie?
SALES ASSISTANT	(*I'd like to reserve a single room with a bath.*)
EMPFANGSDAME	Oh! Leider geht das nicht mehr. Ein Einzelzimmer mit Dusche haben wir.
SALES ASSISTANT	(*That will be fine. How much is that room?*)
EMPFANGSDAME	Das Zimmer kostet DM 180 mit Frühstück und Mehrwertsteuer.
SALES ASSISTANT	(*Good. Please reserve the room in the name of Heller. I'll spell that: H — E — L — L — E — R.*)
EMPFANGSDAME	Auf den Namen Heller. Alles klar — und eingetragen. Diese Reservierung werden Sie wohl bestätigen?
SALES ASSISTANT	(*Yes, I shall confirm by telex later today.*)

Task 3

What dining and theatre details will you have ready for Heller's return?

THEATER • BÜHNEN • KONZERTSÄLE

ANSCHRIFTEN

Alte Oper, Opernplatz, Telefon 13 40-0

Batschkapp, Maybachstraße 24, Telefon 53 10 37.

Brotfabrik, Bachmannstraße 2-4, Telefon 7 89 43 40.

Bürgerhaus Sprendlingen, Fichtestraße 50, 6072 Dreieich Telefon 0 61 03/6 00 00.

Chaplin Archiv, Klarastraße 5, Telefon 52 48 90.

Cooky's, Am Salzhaus 4, Telefon 28 76 62.

Die Schmiere - Satirisches Theater, im Karmeliterkloster, Telefon 28 10 66.

English Theater Frankfurt, Kaiserstraße 52, Tel.2 42 31 60.

Europaturm, Ffm.-Ginnheim, Wilhelm-Epstein-Straße 20, Telefon 53 30 77

Frankfurter Kunstgemeinde e.V.

- **im Volksbildungsheim,** Eschersheimer Landstraße 2, 6000 Frankfurt a. M. 1, Telefon 15 45-1 42-1 45.
  Telefonische Kartenbestellung: Mo.-Do. 10-18 Uhr
  Fr. 10-14 Uhr
  Geöffnet Mo.-Do. 13-18 Uhr, FR. 13-14 Uhr.

- **im Bildungs- und Kulturzentrum** Höchst, Michael-Stumpf-Straße 2, Telefon 31 69 80,

- **im Bürgerhaus Bornheim,** Arnsburger Str. 24, Tel.44 60 99,

- **im Bürgerhaus Griesheim,** Schwarzerlenweg 57, Telefon 38 87 07,

- **im Bürgerhaus Nordweststadt,** Nidaforum 2,
  Kinder- u. Jugendtheater Frankfurt, z. Zt. Haus Dornbusch, Eschersheimer Landstr. 248, Tel. 57 05 96 u. 57 20 01.

- **in der Stadthalle Bergen-Enkheim,** Marktplatz 15,Telefon 0 61 09-2 34 43

Frankfurter Resistenz-Theater, SatirischesTheater, Neue Rothofstr.26a, Telefon 28 02 27.

Freies Schauspiel Ensemble Frankfurt, im Philanthropin, Hebelstr.17, Telefon 51 94 20.

Freies Theaterhaus, Schützenstraße 12, Telefon 29 98 61-0

Fritz Rémond Theater, Alfred-Brehm-Platz 16,Telefon 44 40 04.

Gallus Theater, Krifteler Straße 55, Telefon 7 38 00 37.

Goethe Theater, Leipziger Straße 36, Telefon 29 29 23 (10-18 Uhr). Ab 18.00 Uhr Telefon 70 88 44.

Heinrich-Hoffmann-Museum, Schubertstr. 20, Tel. 74 79 69.

hr - Hessischer Rundfunk, Bertramstraße 8, Telefon 1 55-1.

Hochschule für Musik und Darstellende Kunst, Eschersheimer Landstraße 37, Telefon 15 40 07-0.

Hugenottenhalle - Bürgerhaus Neu-Isenburg, Frankfurter Straße 152, Telefon 0 61 02 / 3 32 60.

Irish-Pub, Kleine Rittergasse 11, Telefon 61 59 86.

Jahrhunderthalle Höchst, Pfaffenwiese, Telefon 36 01-2 40.

Jazzkeller Frankfurt, Kleine Bockenheimer Straße 18 a, Telefon 28 85 37.

Jazz-Kneipe, Berliner Straße 70, Telefon 28 71 73.

Jazz Life Podium, Kleine Rittergasse 22-26, Telefon 62 63 46.

Die Katakombe - Theater 2 am Zoo, Pfingstweidstraße 2, Telefon 28 47 50/ 49 17 25.

Kellertheater - Junge Bühne Frankfurt, Mainstraße 2, Telefon 28 80 23.

Die Komödie, Theaterplatz/Neue Mainzer Str. 18, Tel. 28 45 80.

Künstlerhaus Mousonturm Frankfurt, Waldschmidtstraße 4, Telefon 40 58 95-20.

Music Hall, Voltastraße, Telefon 77 09 41.

Neues Theater, Emmmerich- Josef- Straße 46A, Frankfurt-Höchst, Telefon 30 30 90 oder 30 30 16.

Philantropin, Hebelstraße 17, Telefon 5 97 64 81.

Romanfabrik-Kulturkeller, Uhlandstraße 17, Telefon 4 98 08 11.

Saalbau GmbH, Goethestraße 4-8, Telefon 29 90 02 - 37

Schlachthof, Deutschherrnufer 36-42, Telefon 62 32 01.

Sinkkasten, Brönnerstraße 5, Telefon 28 03 85.

Spott-Licht - Satirisches Unterhaltungs-Theater, Kellertheater im Haus zum Löwen, Löwengasse 24, 6078 Neu-Isenburg, Telefon 0 61 02-2 59 51/3 88 75.

Städtische Bühnen - Oper, Theaterplatz,Vorverkauf: Telefon 23 60 61, Abendkasse: Telefon 25 62-4 34.

Städtische Bühnen- Schauspiel im Bockenheimer Depot, Vorverkauf: Telefon 23 60 61, Abendkasse: Telefon 2 12 37-4 32

Städtische Bühnen - Kammerspiel, Theaterplatz, Vorverkauf: Telefon 23 60 61, Abendkasse: Telefon 25 62-3 95.

TAT - Theater am Turm, Eschersheimer Landstraße 2, Telefon 15 45-1 10.

theater für kinder am Zoo, Pfingstweidstr. 2, Telefon 28 47 50/49 17 25.

Theater in der Brotfabrik, Bachmannstr. 2-4, Tel. 59 43 39.

TIB - Studiobühne, Bornheimer Landwehr 35, Telefon 4 93 05 03.

Tigerpalast - Varieté. Heiligkreuzgasse 16-20, Tel. 2 07 70.

Volkstheater Frankfurt, Großer Hirschgraben 21, Tel. 28 36 76.

VORVERKAUF

Zentrale Vorverkaufskasse der Städtischen Bühnen Oper/Schauspiel/Kammerspiel

Theater, Eingang Schauspiel
montags-freitags   10.00 Uhr-18.00 Uhr
samstags   10.00 Uhr-14.00 Uhr
Telefon: (069) 23 60 61
telefonische Bestellungen während der Kassenzeiten.

Vorverkaufskasse Alte Oper Frankfurt

Telefon: (069) 13 40-4 00 montags-freitags 10.00-18.00 Uhr
telefonische Reservierungen sind während dieser Zeit unter der
o. a. Rufnummer möglich.

Abendkasse: 1 Stunde vor Vorstellungsbeginn unter
                          der Telefon-Nr.: (069) 13 40-4 05/4 06
                          zu erreichen.

Konzertkarten-Vorverkauf:
Liebfrauenberg 52-54, Telefon 0 69/29 31 31+ 29 66 44

Hertie Theaterkasse, Zeil 90, Telefon: 29 48 48

Informationsbüro Hessischer Rundfunk,
Hauptwache Passage 3, Telefon: 28 75 73

Task 4 Unscripted rôle-play

Work in pairs. (If you are an odd number, one of you work with the teacher.) One of you play the part of Heller's assistant, and the other the part of the information clerk at Frankfurt main line station. Use the timetable provided and simulate a telephone conversation, find out and note down the times of all trains from Frankfurt which suit Heller's plans. Which train do you recommend (a) from Frankfurt to Mannheim; (b) from Mannheim to Stuttgart? Record this task on your cassette.

Gültig vom 3. Juni bis 29. September 1984

▭ **Frankfurt (M)—Stuttgart** ● 207 km

Zug-Nr.	Abfahrt Ffm Hbf	Ankunft Stuttgart Hbf	Service im Zug	Besonderheiten
D 1417	0.09	2.34		nur Sa vom 30. VI.–1. IX.
7101	0.18	5.27	ⓨ	Ⓤ Darmstadt Hbf an 0.48, ab 2.55 (D 711) ⓨ Darmstadt–Stuttgart
D 473	4.30	7.46		Ⓤ Mannheim an 5.24, ab 6.04 (E 3023) nur werktags, nicht 21. VI.
IC 571	6.33	8.51	⊗ ✕	Ⓤ Mannheim an 7.21, ab 7.27 (IC 595) nur Mo–Sa, nicht 11. VI. ⊗ Ffm–Mannheim, ✕ Mannheim–Stuttgart
D 899	6.41	8.51	✕	Ⓤ Heidelberg an 7.35, ab 7.41 (IC 595) nur sonn- und feiertags ✕ Heidelberg–Stuttgart
D 899	6.41	9.36		
IC 673	7.37	9.51	✕	Ⓤ Mannheim an 8.21, ab 8.27 (IC 511)
D 795	7.52	10.17	ⓨ	
E 2353	8.16	11.44		Zuglauf über Hanau–Eberbach
IC 597	8.37	10.51	✕	
D 813	9.16	11.27	ⓨ	
IC 171	9.37	11.51	✕	Ⓤ Mannheim an 10.21, ab 10.27 (IC 513) nur Mo–Sa, nicht 11. VI.
D 799	9.40	12.06	ⓨ	
E 3039	9.48	12.40	⊗	Ⓤ Mannheim an 10.59, ab 11.12 (FD 713) ⊗ Mannheim–Stuttgart
E 3377	10.25	13.46		
IC 573	10.37	12.51	⊗ ✕	Ⓤ Mannheim an 11.21, ab 11.27 (IC 111) nur Mo–Sa, nicht 11. VI. ⊗ Ffm–Mannheim, ✕ Mannheim–Stuttgart
IC 599	11.37	13.51	✕	nur Mo–Sa, nicht 11. VI.
D 911	11.40	14.11		
IC 173	12.37	14.51	✕	Ⓤ Mannheim an 13.21, ab 13.27 (IC 515)
E 2355	12.40	16.17		Zuglauf über Hanau–Eberbach
D 913	12.40	15.19	ⓨ	Ⓤ Heidelberg an 13.36, ab 14.02 (D 715) ⓨ Heidelberg–Stuttgart
D 791	13.00	15.47	ⓨ	
D 771	13.31	16.25	ⓨ	Ⓤ Karlsruhe an 14.53, ab 15.12 (E 3013) ⓨ Ffm–Karlsruhe
IC 675	13.37	15.51	✕	Ⓤ Mannheim an 14.21, ab 14.27 (IC 517)
D 773	14.34	17.42	ⓨ	Ⓤ Karlsruhe an 16.19, ab 16.32 (D 2063) ⓨ Ffm–Karlsruhe
IC 177	14.37	16.51	✕	Ⓤ Mannheim an 15.21, ab 15.27 (IC 613)
D 851	14.40	16.46		nur freitags, nicht 22. VI., auch 20. VI.
IC 575	15.37	17.51	✕	Ⓤ Mannheim an 16.21, ab 16.27 (IC 611)

Zug-Nr.	Abfahrt Ffm Hbf	Ankunft Stuttgart Hbf	Service im Zug	Besonderheiten
E 3151	15.40	18.40		Ⓤ Karlsruhe-Durlach an 17.19, ab 17.33 (E 3015)
IC 577	16.37	18.51	✕	Ⓤ Mannheim an 17.21, ab 17.27 (IC 519) täglich außer samstags, nicht 10. VI.
D 815	16.40	19.07	ⓨ	
E 2357	16.40	20.05		Zuglauf über Hanau–Eberbach
D 1173	16.52	20.23	ⓨ	Ⓤ Karlsruhe an 18.36, ab 19.17 (D 267) ⓨ Ffm–Mannheim/Karlsruhe–Stuttgart
D 797	17.29	19.44		
IC 179	17.37	19.51	✕	Ⓤ Mannheim an 18.21, ab 18.27 (IC 615)
D 1791	18.34	20.43		nur freitags
E 691	18.37	20.51	✕	
E 3161	18.40	21.43		Ⓤ Karlsruhe-Durlach an 20.23, ab 20.31 (E 2751)
IC 579	19.37	21.51	✕	Ⓤ Mannheim an 20.21, ab 20.27 (IC 617)
E 2359	19.40	22.11	ⓨ	Ⓤ Heidelberg an 20.35, ab 20.49 (D 719) ⓨ Heidelberg–Stuttgart
E 2359	19.40	22.58		
IC 671	20.37	22.51	✕	Ⓤ Mannheim an 21.21, ab 21.27 (IC 619) täglich außer samstags, nicht 10. VI.
D 354	20.40	23.48	ⓨ	Ⓤ Mannheim an 21.41, ab 21.57 (D 205) Ⓤ Karlsruhe an 22.30, ab 22.36 (D 14165) ⓨ Ffm–Mannheim
IC 693	21.38	23.57	✕	
E 3167	23.45	2.53	▦	▦ Ffm–Heidelberg (D 897)–Stuttgart (–München)

Fahrpreise in DM: (Tarifstand: 1. 6. 84)	einfache Fahrt		Hin- und Rückfahrt	
	2. Klasse	1. Klasse	2. Klasse	1. Klasse
	39,00	59,00	78,00	118,00
Zuschläge für IC-Züge:	5,00	5,00		

▶ **Bitte beachten Sie auch unsere Sonderangebote** ◀

Zeichenerklärung

▦	= 1. Klasse, bes. Zuschlag	✕	= Zugrestaurant
IC	= 1. u. 2. Klasse, bes. Zuschlag	⊗	= Quick-Pick-Zugrestaurant
FD	= 1. u. 2. Klasse	ⓨ	= Speisen u. Getränke im Zug erhältlich
D	= 1. u. 2. Klasse		
E	= 1. u. 2. Klasse	▬	= Schlafwagen
S	= S-Bahn, 1. u. 2. Klasse	◢	= Liegewagen
▦	= Kurswagen	Ⓡ	= reservierungspflichtig
▶	= Omnibus	Ⓤ	= umsteigen / change

Ohne Gewähr

Herausgeber: Deutsche Bundesbahn
Fahrkartenausgabe Frankfurt (M) Hbf

Fortsetzung siehe nächste Seite

Task 5

This memo has just landed on your desk. Deal with it.

MEMO

FROM: *John Lucas* TO: *Sales Ass (Germ)*

This Tx on my desk. What does it mean? Do I need to be involved, or can you cope?

John

339016 BRINKMANN 9

No.   1884   06.05.94   10:01

52186 ZEHNPFENNIG D.

Z.HD. HELLER/VERKAUF

FREUE MICH SCHON AUF IHREN BESUCH. BITTE ANKUNFTSZEIT BESTAETIGEN.
ICH HOLE SIE STUTTGART HBF AB.

MFG SCHULTZE. ZEHNPFENNIG.

Assignment B

Scenario

Heller is off on his travels again. His memo to you says it all.

MEMO

From: P. Heller

To: Sales Assistant (Germany)

I shall be away about three weeks. If you have any problems
don't hesitate to ask John Lucas for help.

One thing you could do for me, if you don't mind, is to answer a
query from Frau Schultze of Zehnpfennig. She has been very kind
to us and we owe her a favour or two. It seems that her sister is a
teacher who is bringing a party of students to England, and part
of their holiday will be spent in Birmingham. She has heard of
the Black Country Museum in Dudley and is quite enthusiastic
about it — she thinks it will be an ideal day out. She specifically
wants to know: What are the entrance charges? What are the
opening hours? Do they do things like packed lunches for school
visits?

I have managed to get hold of some literature on the museum,
but have not had time to read it. Perhaps you would be kind
enough to draft a letter in German, for my signature, to answer
these questions. Address it to Frau Schultze — details in file.
Thanks.

PH

P.S. Herr Mettler of Zehnpfennig may phone about the
exhibition.

Task 1 Use of Language

Write a letter in German to Frau Schultze answering the questions in Heller's memo.

THE BLACK COUNTRY MUSEUM TRUST LTD
TIPTON ROAD, DUDLEY, WEST MIDLANDS. DY1 4SQ. Tel: 021-557 9643

1991 SCHOOL VISIT BOOKING FORM

Please complete in <u>BLOCK CAPITALS</u> and <u>RETURN</u> at least one week before the visit otherwise Boat Trips and Guided tours may be forfeited.

DATE OF VISIT .. 1st Choice .... 2nd Choice ....

                Arrival Time .... Departure Time ....

Name of School ....

Address ....

         ....

Tel. No:...

Name of Visit Organiser ....

Number of Pupils ....   Number of Teachers ....

Accompanying Adults ....   Age range of Pupils ....

Type of Tour/Activity required

Please tick requirements after studying carefully the teacher's notes.

1) General history of the Black Country
   visiting a cross section of the Museum displays.

2) Social history.

3) Industrial history.

4) Coal mine visit.

5) Canal trip (not included in museum admission charge).

THE BLACK COUNTRY MUSEUM TRUST LTD
TIPTON ROAD, DUDLEY, WEST MIDLANDS. DY1 4SQ. Tel: 021-557 9643

Dear

Thank you for your request for information about party visits
to the Black Country Museum which I have pleasure in
enclosing.

The Museum is open each day except for Christmas Day and
admission   charges are £4.60 Adults, £4.00 Senior Citizens,
and £3.00 Children. Opening hours are 10.00 a.m. until
5.00 p.m. or dusk whichever is earlier.

If you have visited us before I am sure you will see many new
developments and if you are considering coming for the first
time, I am confident that you will find the visit worthwhile.

I hope that the enclosed material will encourage you to bring
a party to the Museum. Should you wish to make a visit
please complete the enclosed form and return to me.

Yours sincerely,

Betty Brookes (Mrs).
<u>Booking Clerk.</u>

<u>Enc.</u>

A Private Company Limited by Guarantee Registere

"SNAP PACKAGE"
(PACKED LUNCH)

Let us organise your
School Party packed lunch requirements
ONE ROUND OF FRESHLY MADE SANDWICH
ONE PACKET OF FLAVOURED CRISPS
ONE CAN OF PEPSI/TANGO OR LEMONADE
ONE PIECE OF FRESH FRUIT
ONE PACKET OF ASSORTED BISCUITS

Total Cost £1.20

Please fill in the details below and return with your completed School
Party Visit Form to the Black Country Museum.

Date of Visit ....

Name and Address of School ....
....

Name of Organiser............................

Number of Children ....

Number of Packed Lunches Required ....

Any queries please contact:
**The Manager, Stables Restaurant, Black Country Museum,
Tipton Road, Dudley, DY1 4SQ. Tel: 021 - 557 - 4341.**

Task 2 Translation

Translate into German the 1991 School Visit Booking Form. Use the same layout as the original.

Task 3 Rôle-play (Record this task on your cassette.)

You receive a phone call from Peter Mettler of Zehnpfennig. They are exhibiting at the NEC next month and Heller has promised to help out on their stand. (This means you are helping out on their stand.)

METTLER	Guten Tag. Hier spricht Peter Mettler von der Firma Zehnpfennig. Ich wollte nur noch einmal die Vorbereitungen für die Ausstellung besprechen.
YOU	*(Everything is progressing very smoothly. The stand and the furniture are booked and will be delivered by the exhibition organisers.)*
METTLER	Wissen Sie schon, wie unser Stand ausgestattet sein wird?
YOU	*(Yes. We have ordered a carpet and some flowers to make the stand look attractive. There is, of course, a table, two armchairs and four stools. Oh yes, and we have ordered a large name-plate saying 'Zehnpfennig'.)*
METTLER	Wir wollen unsere Gäste nicht nur mit Kaffee und Kuchen bewirten; unsere Kunden sollten lieber etwas Stärkeres bekommen.
YOU	*(Don't worry. We have thought of that. Apart from the usual light refreshments we have ordered a small bar and a refrigerator. There are plenty of power points on each stand. Incidentally, although you didn't ask for it, we have ordered a small cupboard which can be locked. Now you will not have to take all your papers back to your hotel every evening.)*
METTLER	Prima! Herzlichen Dank. Das wäre also alles. Ich freue mich sehr, daß ich Sie bald in Birmingham kennenlernen werde. Auf Wiederhören.
YOU	*(I'll meet you at the airport. I am looking forward to meeting you, too. In the meantime, if you have any problems at all, please don't hesitate to phone. Good-bye for now.)*

Assignment C

Scenario

Five years ago you completed your HND in Business Studies with a Foreign Language. (You speak German.) You are now 25 years old and have been working for your present employer since you left college, firstly as a trainee and latterly as a junior manager in the Purchasing Department. During this time you decided to add office skills to your list of qualifications, and you attended evening classes which led to successful examinations in typing and shorthand. You have Stage 2 RSA and 80 wpm shorthand. You are, of course, familiar with word-processors.

You now feel that work experience in German or a German-speaking country would be an ideal springboard to a successful management career within the European Community. Reading through some German newspapers you find two advertisements which appeal to you. You decide to apply for one of these posts.

Task 1 Letter of application

Choose one of the posts advertised on pages 147 and 148, and write a letter of application. You will, of course, support this letter of application with a detailed CV.

Die Papierwerke Waldhof-Aschaffenburg AG zählt zu den bedeutendsten Unternehmen der europäischen Papierindustrie. Als Tochter dieses Konzerns produzieren wir in unserem Werk Aschaffenburg mit etwa 250 Mitarbeitern Wellpappenrohpapiere.

Auf unserem Werksgelände in Aschaffenburg bauen wir eine neue Papierfabrik mit einer Kapazität von 230000 Jahrestonnen und einem Gesamtvolumen von 230 Mio. DM. Wir rechnen mit einer Projektdauer von etwa 2 Jahren.

Wir sind der Überzeugung, daß die Gestaltung der Kaufverträge und die Verhandlungen mit den Lieferanten für diese Anlagen langfristig die Weichen für das Gelingen und den Erfolg unseres Projektes stellen. Für diese Aufgabe suchen wir eine(n)

versierte(n)
Einkäufer(in)

der(die) gemeinsam mit unserem Leiter des Beschaffungswesens die umfangreiche und besonders anspruchsvolle Beschaffung unseres Projektes gestaltend abwickelt.

Diese verantwortungsvolle Aufgabe verlangt Erfahrungen in der Formulierung von Kaufverträgen für technische Anlagen in der Größenordnung von mehreren Mio. DM, Verhandlungsgeschick und ein hohes Maß an Leistungsbereitschaft.

Wir bieten neben leistungsgerechter Vergütung die Sozialleistungen und Entwicklungsmöglichkeiten eines modernen Konzernunternehmens.

Wenn diese Projektaufgabe für Sie interessant ist, senden Sie bitte Ihre Bewerbung unter Angabe Ihres Gehaltswunsches zu Händen unseres Herrn Kuhn.

PWA Industriepapier GmbH
Werk Aschaffenburg
Glattbacherstr. 44
8750 Aschaffenburg

Als erfolgreiches Großversandhaus in einer der reizvollsten Gegenden Deutschlands suchen wir

Mode-Einkäufer

Wir stellen uns junge Damen und Herren mit entsprechender Ausbildung und Erfahrung aus der Textilbranche vor, die bereits den Einkäufer vertreten und den Ehrgeiz haben, weitergehende Verantwortung zu übernehmen. Besonders wichtig sind uns modisches Gespür, entsprechende Markt- und Warenkenntnisse (besonders DOB) sowie Durchsetzungsvermögen und Verhandlungsgeschick, gepaart mit der Bereitschaft zu kooperativer Zusammenarbeit mit verschiedensten Bereichen unseres Hauses.

Die anvisierte Position ist ausbaufähig und hat in unserem Versandhaus große Bedeutung. Dementsprechend werden Gehalt und unsere vielfältigen Sozialleistungen bemessen sein.

Bitte senden Sie Ihre vollständige Bewerbung unter Angabe von Gehaltsvorstellung und frühestem Eintrittstermin an unsere Personalleitung, z. H. Herrn Mörl, der auch für telefonische Auskünfte zur Verfügung steht. Telefon (0 72 31) 30 33 16.

BADER

MAXIMILIANSTR. 48

GROSSVERSANDHAUS FÜR MODISCHE KLEIDUNG, 7530 PFORZHEIM

Task 2 Unscripted rôle-play

(This is a group activity. Record this task on your cassette.)

Depending on the size of the class, divide into groups of between 4 and 7. Some members of the group play the parts of members of an interview panel (e.g. Personnel Manager, Purchasing Manager, Chief Accountant); others play the part of short-listed applicants for the post. Rotate the rôles and continue with this task until everyone has had a chance to play the part of the job applicant.

Task 3 Group discussion (In German, of course!)

Read the appended contract of employment. What are your first impressions? Is it fair-unfair? What makes you think this? Can you guess what branch of business devised this contract? Would you sign such a contract of employment? Why/why not?

Is there anything in the contract that seems to be ambiguous? Or is there anything for which you just cannot see any reason? Once you have begun your discussion many more points will occur to you.

Task 4 Re-read the specimen contract of employment. Explain (in German) .

nachstehend; unbefristet; evtl,; o.g.; z.Zt.; in natura; auf Erwerb gerichtete Nebentätigkeiten.

ANSTELLUNGSVERTRAG

Zwischen der Zehnpfennig GmbH, Bahnhofstraße 14, 7000 Stuttgart,

nachstehend Firma genannt, und

Herrn / Frau / Fräulein ....

wohnhaft in ....

geboren am .... in ....

nachfolgend Mitarbeiter genannt, wird folgender Anstellungsvertrag geschlossen.

1. **Einstellung**
    1.1   Die Firma stellt den Mitarbeiter als ....

    für die Abteilung ....

    in dem Betrieb ....

    zu den nachstehenden Bedingungen ein: ....

    1.2   Das Beschäftigungsverhältnis beginnt am ....

    1.3   Das Brutto-Monatsentgelt beträgt DM ....

    1.4   Besondere Vereinbarungen ....

    ....

2. Probezeit

2.1 Die Einstellung erfolgt zunächst auf Probe für die Zeit

vom .... bis ....

2.2 Bei gewerblichen Arbeitern kann das Arbeitsverhältnis während dieser Zeit beiderseits mit eintägiger / dreitägiger Frist gekündigt werden.

2.3 Bei Angestellten endet das Anstellungsverhältnis mit Ablauf der Probezeit. Vorzeitig kann das Anstellungsverhältnis von beiden Seiten mit einer Frist von einem Monat zum Monatsende gekündigt werden. Wird das Beschäftigungsverhältnis im gegenseitigen Einvernehmen über die vereinbarte Probezeit hinaus fortgesetzt, so gilt von Beendigung der Probezeit an das Beschäftigungsverhältnis als unbefristet.

3. Entlohnung

3.1 Das Entgelt wird jeweils am letzten Werktag eines Kalendermonats während der Arbeitszeit bar ausgezahlt oder auf das vom Mitarbeiter angegebene Konto eines Geldinstitutes überwiesen. Sach— und Geldleistungen, die nicht auf Gesetz, Tarifvertrag oder Betriebsvereinbarungen beruhen, wie z.B. Weihnachtsgratifikationen, Jubiläumszuwendungen usw. stellen freiwillige Zuwendungen dar und begründen keinen Rechtsanspruch, auch nicht bei mehrmaliger Gewährung.

4. Kündigung

4.1 Vorbehaltlich einer Kündigung aus wichtigem Grunde kann das Anstellungsverhältnis nach Beendigung der Probezeit von beiden Seiten nur mit einer Frist von:

*   4.1.1   —   14 Tagen
       4.1.2   —   1 Monat zum Monatsende
       4.1.3   —   6 Wochen zum Quartalsende
       4.1.4   —   .... gekündigt werden.

4.2 Jede gesetzliche Verlängerung zugunsten des einen Vertragspartners gilt in jeglicher Weise auch für den anderen Partner. Die Kündigung bedarf der Schriftform.

4.3 Tritt der Mitarbeiter das Beschäftigungsverhältnis ohne berechtigten Grund nicht fristgerecht an, oder löst er es fristlos ohne berechtigten Grund auf, so kann die Firma als Entschädigung für den Vertragsbruch das durchschnittlich erzielte Wochen/Monatsentgelt * fordern oder mit noch ausstehendem Entgelt verrechnen, ohne an den Nachweis eines Schadens gebunden zu sein. Diese Regelung schließt evtl. höhere Schadensersatzansprüche nicht aus. Löst die Firma das Beschäftigungsverhältnis begründet aus wichtigem Grunde fristlos auf, so tritt die o.g. Regelung ebenso in Kraft.

5. Arbeitszeit

5.1 Die Arbeitszeit ist tariflich festgelegt und Ihnen bekannt gemacht worden. Pausen gelten nicht als Arbeitszeit.

5.2 Mehrarbeit darf nur im Rahmen der gesetzlichen und tariflichen Bestimmungen geleistet werden und muß von dem zuständigen Vorgesetzten oder seinem Beauftragten angeordnet sein und ihm innerhalb von 3 Tagen zur Aufzeichnung gemeldet werden.

5.3 Zuschläge für Sonntags—, Feiertags—, und Nachtarbeit sind in dem übertariflichen Bruttoentgelt enthalten.

6. Urlaub

6.1 Der Mitarbeiter erhält einen jährlichen Erholungsurlaub, dessen Dauer sich nach den Bestimmungen des jeweils gültigen Urlaubsabkommens im Rahmen des entsprechenden Tarifvertrages und nach den gesetzlichen Bestimmungen richtet.

6.2 Er beträgt z.Zt. pro Kalenderjahr für den Mitarbeiter . . . Werktage.

6.3 Der Urlaub bezieht sich nur auf das Kalenderjahr und soll grundsätzlich in natura gewährt werden.

7. Erklärung

Der Mitarbeiter versichert ausdrücklich:

7.1 Zur Zeit arbeitsfähig, nicht schwerbehindert im Sinne des Gesetzes und nicht schwanger zu sein;

7.2 keinen Antrag auf Heilverfahren gestellt zu haben.

8. Verpflichtungen

Der Mitarbeiter verpflichtet sich:

8.1 Über die Höhe seiner Bezüge (Entgelt, Gratifikation, Prämien usw.) gegenüber anderen Betriebsangehörigen Stillschweigen zu bewahren.

8.2 Über betriebsinterne Vorgänge außerhalb des Betriebes oder gegenüber Dritten Stillschweigen zu bewahren, und zwar sowohl während des Beschäftigungsverhältnisses als auch nach dessen Beendigung.

8.3 Bei Beendigung des Dienstverhältnisses sämtliche Schriftstücke und auch persönliche Aufzeichnungen, die das Unternehmen betreffen, an die Firma zurückzugeben.

8.4 Jede Veränderung in den persönlichen Verhältnissen, die das Arbeitsverhältnis betreffen (Adressenänderung) dem Betrieb bekanntzugeben.

8.5 Ohne schriftliche Genehmigung der Firma keine auf Erwerb gerichtete Nebentätigkeit auszuüben.

8.6 Fundsachen aus dem Betrieb und seinen Nebenräumen sofort beim Arbeitgeber abzugeben.

9. Sonstige Vereinbarungen

9.1   Beim Arbeitsantritt sind die Arbeitspapiere im Betriebsbüro abzugeben.

9.2   Die Firma ist berechtigt, den Mitarbeiter bei Neufestsetzung der Bezüge innerhalb des Unternehmens mit anderen Arbeiten und in anderen Abteilungen einzusetzen, die seinen Kenntnissen und Fähigkeiten besser entsprechen. Für die Versetzung an einen anderen Ort ist die Zustimmung des Mitarbeiters erforderlich.

9.3   Abtretung oder Verpfändung der Lohn— und Gehaltsansprüche werden nur mit vorheriger Zustimmung der Firma wirksam. Die Firma behält sich vor, für jede notwendig werdende Bearbeitung eines Pfändungs— und Zwangsvollstreckungsvorganges des Mitarbeiters einen Kostenbeitrag in Höhe von DM . . . vom pfändbaren Teil des Lohnes einzubehalten.

10. Grundlagen

10.1   Soweit in diesem Vertrag nicht abweichende Vereinbarungen getroffen werden, sind für das Beschäftigungsverhältnis die gesetzlichen Bestimmungen, die Bestimmungen des jeweils am Betriebsort geltenden Manteltarifvertrags für das Gaststätten— und Hotelgewerbe, auch soweit sie kraft Nachwirkung gelten, sowie bestehende Betriebsvereinbarungen und die Arbeitsordnung des Hauses maßgebend.

10.2   Sollten einzelne Bestimmungen des Anstellungsvertrages — insbesondere durch spätere gesetzliche oder betriebliche Regelungen — unwirksam sein oder werden, so bleiben die übrigen Bestimmungen des Vertrages davon unberührt.

11. Schlußbestimmungen

11.1   Vertragsänderungen und Nebenabreden zum Vertrag sind nur gültig, wenn sie schriftlich vereinbart sind.

11.2   Für Streitigkeiten aus diesem Vertrag ist das Arbeitsgericht des Betriebsortes zuständig.

11.3   ....

....

....

Ort, Datum

....

Mitarbeiter   Firma

* = Nichtzutreffendes durchstreichen.

Assignment D

Scenario

You said at your job interview (Assignment C) that you spoke German. You can hardly be surprised when you receive the attached memo.

MEMO

From: Head of Sales

To: Sales Assistant (Germany)

At a meeting of the Board of Directors yesterday afternoon it was decided that our continued success in the German market merits a permanent presence over there. I would like you to translate into German the attached draft of a letter I intend to send to possible agents. Could you have it on my desk by 9 o'clock tomorrow morning please?

P. H.

Task 1 Translate Mr Heller's letter

Brinkmann Machine Tools PLC
24 High Street
Birmingham B21 2ZX

Tel: 021 555 1234
Telex: 021 555 5678
Our ref: PH/Sk   Your ref: Date:

Dear Sir,

Representation in Germany

Brinkmann PLC is a medium-sized company based in Birmingham and specialising in the manufacture of high-quality machine tools. We are now looking for a partner company in Germany to work with us and represent us in the very competitive German market.

We are approaching you, because you were recommended by our trading partners as a reliable company with proven expertise and high standing in German business circles. Moreover, although your interests are similar enough to ours to suggest you would be excellent representatives of our Company, there does not seem to be, on first reading of your catalogue, any product clash which would prevent you from promoting our products.

Enclosed are all our current brochures and a copy of our production programme. If, after a full examination of our prospectus, you would like to discuss representing our Company, we could arrange a meeting to discuss the commercial details.

Yours faithfully,

(Peter Heller)
Sales Manager

The replies soon come pouring in, and obviously fall into two main categories: interested and uninterested. Here are two letters, one from each category.

E JUNG

E JUNG GMBH & CO. KG

POSTFACH 1026   D 2800 BREMEN 1

Telefon 04 21 / 34 34 24 und 54 49 49

Sachbearbeiter:

Unser Zeichen:

Abt.:

Ihr Zeichen   Ihr Schreiben vom   Bremen, Parkstraße 8

Kooperation

Sehr geehrter Herr Heller,

für Ihr freundliches Schreiben - Ref:PH/Sk - bedanken wir uns und
freuen uns über Ihr Interesse an einer Zusammenarbeit.

Zu Ihrer Information müssen wir Ihnen jedoch mitteilen, daß Ihr
Programm völlig außerhalb unseres Herstellungsprogrammes liegt und wir
deshalb auf Ihr Angebot leider nicht zurückgreifen können.

Wir bedauern, Ihnen keinen günstigeren Bescheid geben zu können.

mit freundlichen Grüßen,

(T T Böddeker)

Sebaldus

· 8900 Augsburg ·

Rosa-Luxemburg-Str. 19

Sachbearbeiter:

Unser Zeichen:

Abt.:

Ihr Zeichen   Ihr Schreiben vom

Ihre Vertreter - Suche

Sehr geehrter Herr Heller,

Wir sind ein seit vielen Jahren eingeführtes Industrievertretungsbüro.

Grundsätzlich sind wir an der Vertretung Ihres Unternehmens sehr interessiert. Bitter lassen Sie uns komplette Unterlagen über Ihr Programm zukommen.

Nach Prüfung der Unterlagen erhalten Sie ein ausführliches Angebot für eine Zusammenarbeit und in einem persönlichen Gespräch können dann weitere Einzelheiten erörtert werden.

Mit freundlichen Grüßen

(H. H. Lilienfeld)

Task 2 Translate the replies to Heller's letter

Heller thinks that the company Sebaldus is a possibility, and has already written to them on behalf of Brinkmann to suggest a meeting. The Germans are keen to discuss representation, and you are to telephone to finalise the arrangements.

Task 3 Telephone call (Rôle-play)

Play the part of Heller's secretary, Jane/John Williams. (Or, if you feel more comfortable, use your own name.)

TELEFONISTIN	Sebaldus. Guten Tag.
J.W.	*(Good afternoon. My name is Jane Williams. I'm calling on behalf of Brinkmann Ltd, in England. I'd like to speak to Herr von Lilienfeld, please.)*
TELEFONISTIN	Moment mal. Ich verbinde.
V. LILIENFELD	Von Lilienfeld. Guten Tag.
J.W.	*(Good afternoon, Herr von Lilienfeld. This is Jane Williams of Brinkmann Ltd, in London. I'm the secretary to Mr Heller, our export manager, who wrote to you last month.)*
V. LILIENFELD	Ach ja, Herr Heller kommt bald zu Besuch, nicht?
J.W.	*(Yes indeed, and I'm phoning to see if I can finalise the arrangements. He's flying out on the 15th, and hopes to come to see you on the 17th. Is that convenient for you?)*
V. LILIENFELD	Augenblick bitte. Mal sehen. Ja, das geht. Wie kommt er nach Augsburg?
J.W.	*(He is flying to Stuttgart where he has several business appointments, and hopes to travel by train from Stuttgart to Augsburg. His train gets into Augsburg at 10.15 in the morning. I shall, of course, telex confirmation of the travel arrangements, once the tickets have been booked.)*
V. LILIENFELD	Ist gut. Ich hol' ihn dann vom Bahnhof ab.
J.W.	*(That is most kind. Thank you very much indeed.)*
V. LILIENFELD	Nichts zu danken, Frau Williams. Auf Wiederhören und Dank für den Anruf.
J.W.	*(Goodbye.)*

Task 4 Explain in German

1. Weitere Einzelheiten können erörtert werden.
2. Wir können nicht auf Ihr Angebot zurückgreifen.
3. Wir können keinen günstigeren Bescheid geben.
4. Ein ausführliches Angebot.

Vocabulary

der Abbau *reduction*
die Abbildung *diagram, illustration*
abbrechen *to break off*
abbuchen *to debit*
abdecken *to tear the roof off*
abhängen *to depend*
abholen *to collect, call for, fetch*
das Abitur *school-leaving examination*
das Abkommen *agreement*
abladen *to unload*
der Ablauf *expiry*
ablegen *to take (an examination)*
ablehnen *to decline, refuse*
die Abnahme *final inspection, acceptance*
abraten *to advise against something*
die Absatzmöglichkeit *sales opportunity*
abschließen *to conclude, complete*
absehbar *foreseeable*
die Absicht *purpose, intention*
abstellen *to switch off, turn off*
abstimmen (über + acc.) *to take a vote on*
die Abtretung *transfer, transferring*
abweichen *to differ, deviate*
die Ahnung *idea*
akzeptieren *to accept*
allmählich *gradually*
die Alliierten (pl.) *Allied Powers*
die Altersversorgung *pension scheme*
anbieten *to offer*
andererseits *on the other hand*
anderswohin *elsewhere, otherwise*
anderthalb *one and a half*
die Anfrage *enquiry*
das Angebot *tender, offer*
die Angebotsbreite *range of attractions*
die Angelegenheit *matter, affair, business*
angesichts *in view of, considering*
der/die Angestellte *employee (e.g. in office)*
sich ängstigen *to worry, be anxious*
anhaltend *continuing, continuous*
ankündigen *to announce*
die Ankunft *arrival*
anlächeln *to smile at*
die Anlage *works, plant, installation*
Anlieger frei *parking for residents, frontages only*
sich anmelden *to report one's arrival*
anordnen *to arrange*
anregen *to prompt, stimulate*
der Anreiz *incentive, stimulus*

die Ansage *announcement*
der Anschein *appearance*
anscheinend *apparently*
anschließend *next, following, then*
sich anschnallen *to fasten one's safety belt*
die Anschrift *address*
anständig *respectable*
anstatt *instead*
anstehend *in prospect, on the agenda*
der Anstellungsvertrag *contract of employment*
anstrengend *strenuous*
die Anwendbarkeit *applicability*
die Anzahl *number*
die Anzeige *advertisement*
der Arbeitgeber *employer*
der Arbeitnehmer *employee (e.g. in factory)*
arbeitsfähig *capable of working*
der Arbeitskampf *industrial dispute*
die Arbeitskräfte (pl.) *workers, work-force*
die Arbeitspapiere (pl.) *employment papers, 'cards'*
der Ärmelkanal *(English) channel*
die Atmosphäre *atmosphere*
der Aufenthalt *stay*
auffallend *striking*
aufgeschlossen *opened up, open-minded, receptive*
die Aufheiterung *bright spell, clearing up (weather)*
aufladen *to load*
die Aufmerksamkeit *attention*
aufnehmen *to receive*
aufregend *exciting*
aufschreiben *to write down*
der Aufschwung *rise, impetus*
aufstellen *to install, set up*
die Aufstiegschancen (pl.) *promotion prospects*
aufsuchen *to seek out*
der Auftrag *commission, order, task*
auftreiben *to get hold of, hunt up*
auftreten *to occur*
aufweisen *to show, to have*
die Aufzeichnung *note, record*
ausdrücken *to express*
ausdrücklich *expressly, particularly*
auseinander *apart*
ausführen *to carry out*
ausgeben *to spend*
ausgleichen *to even out, balance*
das Ausland *abroad*
ausrichten *to see to*
(kann ich etwas ausrichten?) *(can I take a message?)*

ausscheiden *to leave, drop out*
ausscheren *to swing out*
der Außenbezirk *outlying district*
sich äußern *to express one's opinion*
die Aussicht *prospect, view*
ausspucken *to spit out, spew out*
ausstatten *to equip*
ausstellen *to exhibit, show*
die Ausstellung *exhibition*
austauschen *to exchange*
sich ausweiten *to spread*
auswirken (auf + acc.) *to have an effect on*
der/die Auszubildende *trainee*
der Autofabrikant *motor manufacturer*
die Automatisierung *automation*

die Bäckerei *bakery*
baldig *early, speedy*
das Bankett *verge, hard shoulder*
bar *in cash*
die Basis *basis, foundation*
der Baubetrieb *construction business*
Bau-Steine-Erden *name of the building construction
   workers' union*
die Baustelle *road works*
die Bauwirtschaft *building & construction industry*
die Bauzeit *time taken for building*
der Beamte *official, civil servant*
beanspruchen *to keep fully occupied, keep busy*
beantworten *to answer*
die Bearbeitungsstation *processing point, processing
   station*
beaufsichtigen *to superintend, supervise*
beauftragen *to authorise, delegate*
der Beauftragte *representative, agent*
sich bedanken *to thank*
der Bedarf *need, demand*
bedauern *to regret*
bedeckt *overcast, cloudy*
bedeuten *to mean*
bedürfen *to need, require*
das Bedürfnis *requirement, need*
beeindrucken *to impress*
beeinflussen *to influence*
befehlen *to order, command*
die Befehlszentrale *control room*
befriedigend *satisfactory*
befruchten *to fertilize*
befürchten *to fear, suspect*
begleichen *to pay, settle*
das Begleitschreiben *accompanying letter*
begreiflich *comprehensible, conceivable*
beherrschen *to be master of, fully conversant with*
der/die Behinderte *handicapped person*
beilegen *to enclose*
beitragen *to promote, contribute, help*
bekanntmachen *to acquaint*
die Bekanntschaft *acquaintance*
beklagenswert *lamentable, deplorable*
die Belebung *revival*

die Belegschaft *work force, staff*
beleuchten *to illuminate*
sich bemühen *to make an effort*
benachbart *neighbouring*
benachteiligen *to be of disadvantage to, prejudice,
   injure*
benutzen *to use*
das Benzin *petrol, gasolene*
die Bequemlichkeit *comfort, convenience*
berechnen *to calculate, charge*
berechtigt *justifiable, justified, entitled*
der Bereich *scope, field, area*
bereits *already*
beruhigen *to reassure*
die Besatzung *crew*
beschäftigt *employed, busy*
der Bescheid *information, answer*
bescheiden *modest*
beschmutzen *to soil, dirty*
die Besonderheit *speciality, peculiarity*
besorgen *to procure, take care of*
die Besorgnis *anxiety, apprehension*
beständig *steady, lasting*
der Bestandteil *component*
die Bestellung *order, commission*
die Bestimmung *regulation*
das Bestreben *endeavour*
betonen *to stress, emphasize*
der Betonklotz *lump of concrete*
betrachten *to consider*
in Betracht ziehen *to take into consideration*
beträchtlich *considerable*
betragen *to amount to*
betreffen *to concern*
der Betrieb *works, factory, concern, firm*
der/die Betriebsangehörige *employee*
der Betriebsingenieur *works engineer*
bevölkern *to inhabit, populate*
bewältigen *to cope with, manage*
der/die Bewerber(in) *applicant*
die Bewerbung *application*
bewirten *to feed, entertain*
der Bewohner *inhabitant, occupant*
die Bewölkung *cloud cover*
bewußt *conscious, deliberate*
die Bezahlung *payment*
sich beziehen auf *to refer to*
die Beziehung *connection, relationship*
die Bezüge (pl.) *income, earnings*
die Bezugsquelle *source of supply*
biegen *to turn*
die Bilanz *balance sheet*
die Bindefrist *time during which prices will remain
   firm, period of validity*
bindend *definite, binding*
der Bindestrich *hyphen, dash*
der Binnenmarkt *internal market, free market*
bisherig *previous, up to now*
das Blei *lead*
der Block *notepad*

blühend *flourishing, thriving, blooming*
böig *blustery, gusting*
die Börse *stock exchange*
brav *honest, upright, well-behaved*
brutto *gross*
die Buche *beech*
buchen *to book*
der Bummel *stroll, wander*
die Bundeswehr *armed forces (German)*

die Chancengleichheit *equal opportunity*
der Chef *boss*
das Chlor *chlorine*
das Christentum *christendom*
computergesteuert *computer controlled*

die deutsche Bucht *German Bight*
das Dickicht *thicket*
diesig *misty, hazy*
das Diktat *dictation*
diktieren *to dictate*
das Diktiergerät *dictaphone*
drehen *to turn, to shoot (film)*
dringend *urgent*
die Droge *drug*
drohen *to threaten*
drüben *over there, yonder*
die Druckleistung *pressure rating*
durchführen *to carry out*
der Durchschlag *carbon copy*
durchschnittlich *average*
die Durchwahl *direct dialling to extension*

ebenfalls *likewise*
die Eiche *oak*
das Eigentum *property*
der Eigentümer *owner*
der Einblick *glimpse, insight*
der Eindruck *impression*
eineinhalb *one and a half*
einerseits . . . andererseits *on the one hand . . . on the other hand*
der Einfall *sudden idea, brainwave*
einführen *to introduce, bring in*
die Einführung *introduction*
der Eingang *entrance; receipt*
eingehend *exhaustive, thorough*
die Einheit *unit, unity*
einheitlich *uniform, standardized*
der/die Einkaufsleiter(in) *chief buyer*
das Einkaufsviertel *shopping centre*
einlösen *to pay, redeem, cash*
einmalig *unique*
die Einnahme *income, takings, earnings*
der Einnahmeverlust *loss of earnings*
einräumen *to allow, grant*
einschlafen *to fall asleep*
einschließlich *including, inclusive*
einsehen *to realise*
sich einsetzen *to support, stand up for*

einstellen *to cease; to appoint*
die Einstellung *cessation; employment, engagement*
eintragen *to register, enter in a book*
das Einvernehmen *agreement, consent*
der Einwanderer *immigrant*
einwerfen *to insert*
die Einzelheit *detail*
die Eisenbahn *railway*
das Eisen *iron*
ekelhaft *disgusting, loathsome*
elektronisch *electronic*
die Elektrotechnik *electrical engineering*
empfindlich *sensitive*
endgültig *final, definitive*
entfalten *to unfold*
die Entfernung *distance*
entfesseln *to unbind*
entfliehen *to run away, flee*
entgegensehen *to await, look forward to*
entgehen *to escape*
das Entgelt *remuneration*
entkommen *to get away*
entladen *to unload*
entlassen *to dismiss*
entlasten *to relieve, unburden*
die Entlastung *relief*
entnehmen *to infer, withdraw, gather*
entreißen *to snatch away*
die Entschädigung *compensation*
sich entscheiden *to make up one's mind, decide*
sich entschließen *to determine, resolve, decide*
entsichern *to release the safety catch*
sich entsinnen *to remember*
sich entspannen *to relax*
die Entspannung *relaxation, détente*
entsprechen *to meet, suit, correspond, match*
entstehen *to originate, arise, result*
entwerfen *to sketch, draw up, draft*
sich entwickeln *to develop, unfold*
die Entwicklung *development*
der Entwurf *sketch, draft, outline*
entwurzeln *to uproot*
meines Erachtens *in my judgement*
das Erbe *inheritance, heritage*
erbitten *to request, beg*
das Erdöl *mineral oil*
der Erdrutsch *landslide*
erfahren (adj.) *experienced*
erfolgreich *successful*
erforderlich *necessary, required*
erfreut *pleased*
erfrieren *to freeze to death*
erfüllen *to fulfil, comply with*
sich ergeben *to result, follow, arise from*
der Erhalt *receipt*
erhöht *increased, raised*
der Erholungsurlaub *vacation, leave*
erkämpfen *to gain by fighting*
erklingen *to sound, ring out*
erlauben *to permit, allow*

die Erlaubnis *permission*
die Erläuterung *explanation*
das Erlebnis *experience, event*
erlernen *to learn, acquire by learning*
ermöglichen *to make possible, bring about*
ermorden *to murder, assassinate*
ernähren *to feed*
erneut *again, anew*
ernst *serious(ly)*
der Ersatz *replacement*
das Ersatzteil *spare part*
erschlagen *to slay, strike dead*
erschöpfen *to exhaust*
erstrahlen *to radiate, shine forth*
ersuchen *to request (urgently)*
ertränken *to drown (transitive)*
ertrinken *to drown (intransitive)*
erwachen *to wake up*
erwähnen *to mention*
sich erweisen (als) *to prove to be, turn out to be*
der Erwerb *income, earnings*
erwünscht *desired*
das Erzeugnis *product*
erzielen *to achieve, obtain, realise*
erzittern *to tremble violently, shiver, shudder*
eventuell *possible, if occasion arises, perhaps*
exportieren *to export*

der Fahrgeldzuschuß *travel allowance*
der Fahrlehrer *driving instructor*
der Fahrplan *timetable*
der Fall *case, instance*
das Faß *barrel*
die Fernbedienung *remote control*
das Ferngespräch *long-distance telephone call*
der Fernschreiber *telex*
die Fernsprechstelle *telephone box, public telephone*
die Fertigung *production*
die Fertigungsstraße *production line*
fest *firm, fast, fixed*
die Fichte *spruce, fir*
finanziell *financial*
finanzieren *to finance*
das Finanzzentrum *financial centre*
finster *dark, ominous*
die Firma *firm, company*
fließend *fluent*
der Flug *flight*
der Flügel *wing; grand piano*
der Fluggast *(air) passenger*
das Flughafengebäude *airport terminal*
der Flugschein *ticket (air travel)*
die Flugsicherung *air traffic control*
die Fluktuation *natural fluctuation in the number of jobs in any economy*
der Föhn *warm Alpine wind*
die Förderung *advancement*
die Formsache *formality*
die Forschung *research*
die Fortdauer *continuance, duration*

der Fortschritt *progress*
fortwährend *continually*
fragwürdig *dubious, doubtful, questionable*
freilich *of course*
die Freizügigkeit *freedom of movement*
fremd *strange, foreign*
freundlicherweise *kindly*
fristgerecht *within the period stipulated*
fristlos *without notice*
der Führungsanspruch *claim to leadership*
die Fundsachen *lost property*
das Fünftel *fifth (fraction)*
die Fußgängerzone *pedestrian precinct*

das Gebiet *area, field*
das Gebirge *mountain range*
gebraten *roast, grilled, fried*
der Gebrauch *use*
die Gebührangabe *ADC (advise duration and cost)*
die Geburtenrate *birth-rate*
die Geburtenziffer *number of births*
gedämpft *muffled, subdued*
der Gefrierpunkt *freezing point*
der Gehaltswunsch *desired salary*
das Gehänge *slope, incline, hangings*
geheimhalten *to keep secret, keep to oneself*
geläufig *current, common*
das Geldstück *coin*
gelegen *situated; of importance*
die Gelegenheit *opportunity*
gelten *to be considered as, be valid*
die Genehmigung *approval, authorisation*
genießen *to enjoy*
das Gerät *apparatus, equipment, instrument*
geräuchert *smoked*
das Gerücht *rumour*
der Gesang *singing, song*
geschäftig *busy, active*
die Geschäftsleitung *management*
der Geschäftspartner *business partner*
geschäftspolitisch *planning and organisational (objective)*
geschätzt *esteemed*
geschieden *divorced*
das Geschlecht *sex*
der Geschmack *taste*
die Geschwindigkeitsbeschränkung *speed limit*
sich gesellen (zu) *to join, keep company with*
die Gesundheit *health*
die Gewährung *granting, giving*
gewerblich *industrial*
gewinnend *winning, charming*
gewissermaßen *to some extent*
das Glatteis *sheet ice, slippery surface*
die Glaubwürdigkeit *credibility*
gleichbedeutend *synonymous*
gleichfalls *likewise*
glücklicherweise *fortunately*
die Gratifikation *bonus*
grell *glaring, dazzling*

der Grund *cause, reason*
die Gründung *founding, setting-up*
günstig *favourable, advantageous*
der Güterzug *goods train*

der Hagel *hail*
das Halbfabrikat *semi-finished product*
der Handel *trade*
handeln *to deal, trade*
das Handelsgesetz *commercial law*
die Handelskammer *chamber of commerce*
die Handhabung *materials handling*
die Hängewaage *suspended scales*
der Haupteingang *main entrance*
der Hauptsitz *headquarters, head office*
der Hauptschüler *primary school pupil*
die Hauptwache *police headquarters*
die Heidelandschaft *moorland*
das Heilverfahren *course of treatment*
das Heimatstadt *home town*
das Hemmnis *hindrance, impediment*
die Herausforderung *challenge*
herbeiführen *to bring about, cause*
hereinholen *to bring in, buy in*
herrschen *to govern, prevail*
herstammen *to come from*
herstellen *to manufacture*
die Herstellung *production, manufacture*
sich herumschlagen *to struggle*
hervorragend *outstanding*
hilfreich *helpful*
hinarbeiten *to aim at*
das Hindernis *obstacle*
sich hinsetzen *to sit down*
hinsichtlich *with reference to*
hinweisen *to indicate*
der Hochschulabschluß *graduation*
die Höchsttemperatur *maximum temperature*
die Hummersuppe *lobster soup*
die Hündin *bitch*

die Identität *identity*
illustriert *illustrated*
imponierend *impressive*
die Industriegüter *industrial goods*
die Inflationsrate *rate of inflation*
infolge *in consequence*
die Innenseite *the inside*
insbesondere *in particular*
insgesamt *altogether*
installieren *to install*
die Interstoff (-Messe) *Frankfurt Textile Fair*
irgendein *any(one), some(one)*
irgendwie *somehow*
der Irrtum *error*
isoliert *isolated*

die Jahreshälfte *six-month period*
das Jahrzehnt *decade*
jeglich *every*

jetzig *present, current*
jeweils *each, each time, at the time*
das Jod *iodine*

kämpfen *to fight, combat, struggle*
die Kantine *canteen*
die Kapitalanlage *investment*
eine steile Karriere (fig.) *a rapid rise*
das Kartoffelpüree *creamed potatoes*
katholisch *Roman Catholic*
die Kehrseite der Medaille *the other side of the coin*
keinerlei *no sort, no kind*
das Kerngebiet *heartland*
klappen *to go without a hitch, work out well*
das Klima *climate*
die Kluft *gulf, gap*
knapp *barely sufficient, exact(ly)*
der Kofferraum *car boot*
die Kokospalme *coconut tree*
kommerziell *commercial*
die Konferenz *conference, business meeting*
konfessionell *denominational*
das Königtum *kingship, royalty*
die Konjunktur *trade cycle, state of business*
der Konkurrent *competitor*
die Konkurrenz *competition*
die Konstruktionsabteilung *design department,*
    drawing office
die Konstruktionszeichnung *workshop or*
    production drawing
die Kontaktpunkte (pl.) *points of mutual interest*
das Konto *bank account*
konzessionieren *to grant a licence*
körperlich *manual, bodily, physical*
die Kost *food*
kraft (+gen) *by virtue of*
die Kranwaage *craneweigher (scales)*
krönen *to crown*
sich kümmern (um) *to look after, be concerned about*
der Kunde *customer*
kündigen *to give notice (employment)*
künftig *future*
die Kunstsammlung *art collection*
das Kupfer *copper*
kürzlich *recently*
die Küstennebelfelder (pl.) *coastal fog patches*

die Lage *situation*
das Lager *stores, depot*
auf dem Lande *in the country*
die Landeskennzahl *country code (telephone)*
die Landsmännin *compatriot (female)*
(Was ist sie für eine Landsmännin?) *(What is her*
    native country?)
die Landstraße *main road*
die Landung *landing*
langfristig *long-term, long-range*
die Lärche *larch*
lästig *tiresome, annoying*
lauten *to read, say, go (e.g. of inscriptions)*

ums Leben kommen *to lose one's life*
die Lebensmittel (pl.) *provisions, foodstuffs*
der Leberknödel *liver dumpling*
lecker *tasty*
die Lehre *apprenticeship*
die Leistung *work, performance*
der/die Leiter(in) *chief, head, manager*
das Lichtbild *photograph*
der Lieferant *supplier*
lieferbereit *ready for delivery*
die Lieferfrist *delivery time/date*
liefern *to supply, deliver*
die Liefertreue *reliability of delivery*
die Lieferung *delivery, supply*
die Lieferzeit *delivery time*
die Liste *list*
sich lohnen *to be worth while*
lösen *to solve, resolve*
die Lücke *gap*
die Lungen (pl.) *lungs, lights*

die Mahnung *reminder*
die Mappe *briefcase*
der Marktanteil *market share*
der Marktforscher *market researcher*
das Maschinenschreiben *typing*
die Maschinenwerkstatt *machine shop*
massenhaft *on a huge scale*
das Maß *degree, extent*
die Maßnahme *measure, precaution, mode of acting*
die Mehrarbeit *overtime*
mehrere *several*
die Mehrwertsteuer (MwSt) *value added tax (VAT)*
merklich *noticeable*
die Messe *trade fair*
das Messegelände *site of trade fair*
der Mikrorechner *micro-computer*
die Minderheit *minority*
der Minderwertigkeitskomplex *inferiority complex*
mißachten *to disregard, despise*
mißdeuten *to misinterpret, misconstrue*
mißfallen *to displease, offend*
mißglücken *to fail, miscarry*
mißhandeln *to do wrong, abuse*
mißlingen *to prove unsuccessful*
das Mißverständnis *misunderstanding*
der Mitarbeiter *colleague*
mitbekommen *to understand*
mitteilen *to inform, communicate*
das Mittelalter *Middle Ages*
mittels *by means of*
momentan *for the moment, just now*
die Montage *assembly, assembling*
die Mühe *trouble*
der Münzfernsprecher *coin operated phone box*
das Muster *sample*

nachdenken *to consider, reflect*
nächstliegend *nearest*
die Nachtschicht *night shift*

der Nachweis *proof*
die Nachwirkung *consequence, after effect*
die Nachwuchssorgen (pl.) *recruiting problems*
Näheres *further information*
nahestehend *closely connected with*
die Nebenstelle *extension*
die Nebenstellenvermittlung *switchboard*
die Nebentätigkeit *sideline, extra activity*
die Nelke *carnation*
die Nennung *nomination*
netto *net (e.g. price)*
die Neufestsetzung *revision of the rate, new rate*
neulich *recently*
die Niederlassung *registered office, establishment*
niederschlagsfrei *free from precipitation (rain, snow, etc)*
die Not *necessity, distress*
notieren *to note down*
die Notrufsäule *emergency telephone*
die Null *zero, nought*
numerisch gesteuert *computer controlled*
nützlich *useful*

obdachlos *homeless, without shelter*
der Oberprimaner *upper sixth former*
obig *the above*
offenbaren *to manifest, reveal*
offensichtlich *clearly*
öffentlich *public*
die öffentliche Hand *the government*
die Offerte *tender, bid, offer*
ohnehin *anyhow, besides*
der Optimismus *optimism*
die Orientierung *guidance, information*
der Ort *place*
die Ortsnetzkennzahl *area code (telephone)*
der/die Österreicher(in) *Austrian*

der Passat *trade wind*
passend *suitable*
die Pensionierung *retirement*
der Personalabbau *reduction in staff*
die Pfändung *seizure, distraint*
der Pfeil *arrow*
die Pflicht *duty*
das Phänomen *phenomenon*
die Phantasie *imagination*
die Pilgerfahrt *pilgrimage*
das Pils *Pilsener beer, lager*
das Plakat *poster*
planen *to plan*
planmäßig *according to schedule*
die Planung *planning*
plaudern *to chat*
pleite *bankrupt*
preisempfindlich *price-sensitive*
der Produktionssektor *production department*
die Produktivität *productivity*
die Prognose *prediction, forecast*
der Prospekt *catalogue, leaflet, brochure*

die Prüfung *examination*

der Quatsch *nonsense, rubbish*
die Quittung *receipt*

rasen *to speed, tear*
die Rate *rate*
raten *to advise*
ratsam *advisable*
der Ratschlag *piece of advice, suggestion*
die Rechnung *bill, account*
der Rechtsanspruch *right, legal claim*
die Referenz *reference, referee*
die Regelung *regulation, control*
die Regierung *government*
der Reichtum *riches, wealth*
die Reifenpanne *puncture, flat tyre*
das Reisebüro *travel agency*
der Rentner *pensioner*
die Residenz *palace, prince's residence*
die Restaurierung *restoration*
sich richten (nach) *to follow, comply (with)*
die Richtung *direction*
der Roboter *robot*
der Rohstoff *raw material*
die Rollbahn *roller conveyor*
die Rolle *rôle, part*
römisch *Roman*
rötlich *reddish*
die Route *route, itinerary*
rückläufig *retrograde*
die Rufnummer *telephone number*

die Sachleistung *payment in kind*
das Salz *salt*
das Sauerkraut *pickled cabbage*
der Sauerstoff *oxygen*
der Schadenersatzanspruch *claim for compensation*
schaffen *to accomplish*
der Schauer *shower*
scheitern *to founder, fail*
der Scherz *joke*
schicken *to send*
das Schicksal *destiny*
das Schlagwort *catchword*
die Schlagzeile *newspaper headline*
der Schluß *end, conclusion*
schmackhaft *tasty*
das Schnürchen *thread*
(daß alles wie am Schnürchen läuft) *(so that
    everything goes like clockwork)*
der Schub *push, threat*
der Schulabgänger *school leaver*
schuldig *owing, indebted, guilty*
schwanger *pregnant*
die Schwebebahn *overhead railway (in Wuppertal)*
der Schwefel *sulphur*
der Scirocco *wind from North Africa*
die Sehenswürdigkeit *sight, spectacle, object of
    interest*

die Sehnsucht *longing*
die Sekretärin *secretary (female)*
selbständig *independent, unsupervised*
die Selbstkosten *factory cost, cost price*
der Selbstwählferndienst *STD, subscriber trunk
    dialling (telephone)*
der Semmelknödel *bread dumpling*
die Sicherheit *security*
das Silber *silver*
der Sitzplatz *seat*
der/das Skonto *discount*
das Sonderverhältnis *special relationship*
sonstig *other, further*
sorgfältig *carefully*
sowieso *in any case, anyhow*
die Speisekarte *menu*
die Sprechklappe *mouthpiece, flap*
der Stahl *steel*
die Stahlwerke *steelworks*
die Standardisierung *standardisation*
ständig *continually, permanent(ly)*
der Standort *location*
die Statistik *statistic*
der Stau *tailback, holdup, traffic jam*
die Steigerung *increase, augmentation, boost*
die Stellung *job, position*
die Stenographie *shorthand*
die Sterberate *death rate*
steuern *to control*
die Steuerung *control (system)*
der Stil *style*
das Stillschweigen *silence*
der Stillstand *standstill*
der Stoff *material, cloth*
die Strecke *stretch*
streckenweise *here and there*
stumpf *blunt, dull*
die Subvention *subsidy*
die Suche *search*
die Süßigkeiten (pl.) *sweets*
szenisch *scenic*

tagelang *day-long, for days on end*
der Tagesverlauf *the course of the day*
der Takt *time, (fig.) tact*
die Talsohle *valley bottom, (fig.) rock bottom*
tariflich festgelegt *fixed in agreement with the trade
    union*
der Tarifvertrag *wage agreement*
tätig *employed, active, practising*
die Tätigkeit *activity*
tatsächlich *actually, really*
teilen *to share*
die Teilnehmerliste *list of participants*
die Telefoneinheit *telephone charge per time unit*
der Temperaturrückgang *drop in temperature*
der Termin *appointment, fixed time*
die Tertia *fifth form*
der Tischler *joiner, carpenter*
die Tischpresse *bench press*

der Titel *title*
die Tochtergesellschaft *subsidiary company*
der Träger *bearer*
der Trend *trend*
trennen *to separate*
trocken *dry*
trübe *gloomy*
tüchtig *thorough(ly)*
die Tulpe *tulip*

überbevölkert *over-populated*
der Überblick *overview*
überdurchschnittlich *above average*
die Übergangszeit *period of transition*
übergreifend *general, comprehensive*
überheblich *arrogant*
überleben *to survive*
überlegen *to think over*
die Übernachtung *overnight stop, accommodation*
die Überschwemmung *flood*
übersenden *to forward, send*
übersichtlich *lucid, clear, easily understood*
übertariflich *above the agreed (union) rate*
überwachen *to supervise, keep watch on*
überweisen *to remit*
die Überweisung *remittance, transfer*
überwinden *to overcome*
üblich *usual*
umarmen *to embrace, hug*
umfassen *to include*
umgekehrt *the other way round, contrary, opposite*
umkämpfen *to dispute, contest*
umkommen *to perish, die*
umrahmen *to frame*
sich umsehen *to have a look round*
der Umstand *circumstance*
umwandeln *to change, convert*
umziehen *to move house*
sich umziehen *to change clothes, get changed*
unbefristet *permanent, indefinite, without notice*
unbeständig *changeable*
undenkbar *unthinkable*
unerläßlich *indispensable*
unheimlich *uncanny*
die Universität *university*
die Unnachgiebigkeit *inflexibility, intransigence*
unsinnig *nonsensical, foolish*
unterbinden *to prevent, stop*
unterbreiten *to submit*
untergebracht *accommodated*
der Unterhändler *negotiator*
die Unterlagen (pl.) *documents*
unterlaufen *to occur*
(mir ist ein Fehler unterlaufen) *(I have made a mistake)*
unternehmen *to undertake*
das Unternehmen *undertaking, concern, business*
unterqueren *to cross (under), go under*
der Unterschied *difference*
unterstreichen *to underline, emphasize*

unterzeichnen *to sign, append signature*
unwahrscheinlich *improbable*
das Urlaubsgeld *holiday pay*
ursprünglich *original, primary*

sich verabreden *to make an appointment*
sich verabschieden *to take one's leave, say goodbye*
verachten *to despise*
veraltet *obsolete, antiquated*
verändern *to change*
die Veränderung *change, alteration*
veranlassen *to cause, take the necessary steps, do*
die Verbesserung *improvement*
verbilligt *subsidised*
die Verbindung *connection*
verblühen *to fade, wither*
der Verbraucher *consumer*
verbringen *to spend (time)*
verbunden *obliged*
verdanken (jmdm. etwas) *to owe (something to someone)*
verderben *to spoil, ruin*
der Vereinbarung *arrangement, agreement*
vereinfachen *to simplify*
vereinzelt *isolated*
verfügen *to have at one's disposal*
die Verfügung *disposal*
der Vergleich *comparison*
das Vergnügen *pleasure*
vergrößern *to increase*
verhaften *to arrest*
verhältnismäßig *relatively*
die Verhandlung *negotiation, discussion*
verheiraten *to marry*
verhören *to interrogate, cross-examine*
verjagen *to drive away, expel*
verjüngen *to rejuvenate*
der/die Verkaufsleiter(in) *sales manager*
das Verkehrsschild *road sign*
das Verkehrszeichen *traffic sign*
verkennen *to mistake, misjudge*
verknüpft *connected*
verlangen *to desire, request*
verlängern *to lengthen, prolong*
die Verlängerung *extension, prolonging*
verlaufen *to pass, elapse*
sich verlaufen *to lose one's way*
verleihen *to lend*
vermeiden *to avoid*
die Vermittlung *telephone exchange*
vermögen *to be capable, able*
das Vermögen *wealth*
vermutlich *presumably*
die Verpackung *packing*
verpfänden *to pledge, give as security*
verplaudern *to chatter (time) away*
verrechnen *to charge to, debit (an account)*
verreisen *to go on a journey*
versäumen *to miss*
die Verschuldung *incurring debt*

die Versetzung *transfer*
die Versöhnung *reconciliation*
verspätet *late, delayed*
die Verspätung *delay, late arrival*
sich versprechen *to make a slip of the tongue*
verständlich *intelligible, clear*
das Verständnis *understanding*
verstärken *to intensify, increase*
vertagen *to adjourn*
vertiefen *to deepen*
der Vertragsbruch *breach of contract*
das Vertrauen *confidence, trust*
vertrauenswürdig *reliable, trustworthy*
vertraut *familiar*
vertreiben *to drive away, disperse, sell, distribute*
vertreten *to represent*
die Vertretung *representation, agency*
vertrinken *to squander on drink*
verurteilen *to condemn, sentence*
verwechseln *to confuse, mix up*
verzeichnen *to note, record, enter*
verzeihen *to forgive, excuse*
verzichten *to relinquish, do without, waive*
vielerlei *many kinds of*
die Visitenkarte *business card*
vollendet *completed, accomplished*
völlig *completely*
vorausgesetzt *presupposed*
vorbehaltlich *except, subject to, on condition*
die Vorbereitungen (pl.) *preparations*
vorbildlich *model, ideal, exemplary*
vorgesehen *scheduled, earmarked, designated*
vorhaben *to intend*
die Vorhersage *forecast*
vorläufig *provisional*
vorlegen *to present, show, produce*
vorlesen *to read aloud*
von vornherein *from the outset*
vorschlagen *to suggest, propose*
vorsehen *to earmark, designate, intend*
der Vorstand *board, committee*
vorstellbar *imaginable*
vorteilhaft *advantageous*
vortrefflich *excellent, admirable*
vorzeitig *early, premature*
vorziehen *to prefer*
das Votum *vote*

das Wachstum *growth*
der Wagenheber *jack (auto)*
wählen *to dial, choose, vote*
das Wahlfieber *election fever*
wahren *to maintain, keep safe*
die Währung *currency*
die Währungsvorschriften (pl.) *currency regulations*
die Ware(n) *goods*
die Warnblickleuchte *flashing warning lamp*
das Warndreieck *warning triangle*
der Wechsel *draft, bill of exchange*
wegbringen *to pick up, collect*

wegfallen *to drop out, be omitted, be discontinued*
weglassen *to leave out, omit*
weinerlich *whining, whingeing*
weitergeben *to pass on*
weiterhin *in future, from now on*
weiterleiten *to forward, pass on*
weitgehend *extensive, far-reaching*
werksamtlich *official (on behalf of the factory)*
die Werksanlagen (pl.) *works, factory, plant, site*
die Werkzeugmaschine *machine tool*
das Wesen *nature, character, system*
wesentlich *substantial(ly)*
weswegen *why, on account of what*
die Wettervorhersage *weather forecast*
die Wiedervereinigung *reunification*
der Wiederverkäufer *retailer, retail dealer*
die Wirklichkeit *reality*
die Wirtschaft *economy*
der Wohlstand *prosperity*
wund *sore, injured*
wunderlich *strange, odd, eccentric*

zahlreich *numerous*
die Zahlung *payment*
die Zahlungsbedingungen (pl.) *terms of payment*
das Zahlungsziel *time by which payment must be made*
zahm *tame*
zapfen *to pull, draw (beer)*
zart *delicate*
die Zeigerwaage *scales (pointer indicator)*
zeitig *early, in time*
die Zentrale *switchboard*
das Zentrum (pl. Zentren) *(town) centre*
zerbrechen *to shatter, break into pieces*
zerpulvern *to pulverize*
zerstören *to destroy, demolish*
zerteilen *to divide, break up*
zertreten *to trample under foot*
das Zeug *stuff*
die Zeugnisabschrift *copy of examination certificate*
die Zinsen (pl.) *interest*
die Zinsherabsetzung *drop in interest rates*
der Zoll *customs duty*
zollfrei *duty free*
der Zucker *sugar*
die Zufriedenheit *satisfaction*
die Zugangsziffer *entry code (long-distance telephoning)*
zugegeben *granted, admittedly*
zugesandt *enclosed*
die Zugrundelegung *basis*
(unter Zugrundelegung + gen.) *taking . . . as a basis*
zugunsten (+ gen.) *in favour of*
zunächst *first*
zuhalten *to hold closed*
zurückbleiben *to lag behind, fall behind*
zurückhalten *to restrain, hold back*
die Zusammenarbeit *cooperation*
der Zusammenbruch *collapse*

die Zusammenkunft *meeting*
zusammenwirken *to combine, act together*
zuschicken *to send*
zuständig *responsible, appropriate*
zuverlässig *reliable*
die Zuwendung *sum of money, donation*
die Zwangsvollstreckung *enforcement of bankruptcy proceedings*

zweifellos *without doubt*
die Zweigniederlassung *branch (of shop, etc)*
die Zweigstelle *branch office*
der Zwilling *twin*
zwischendrin *in between, among*